日本消滅

未曾有の危機を乗り越えるために

伊藤通宏
Ito Michihiro

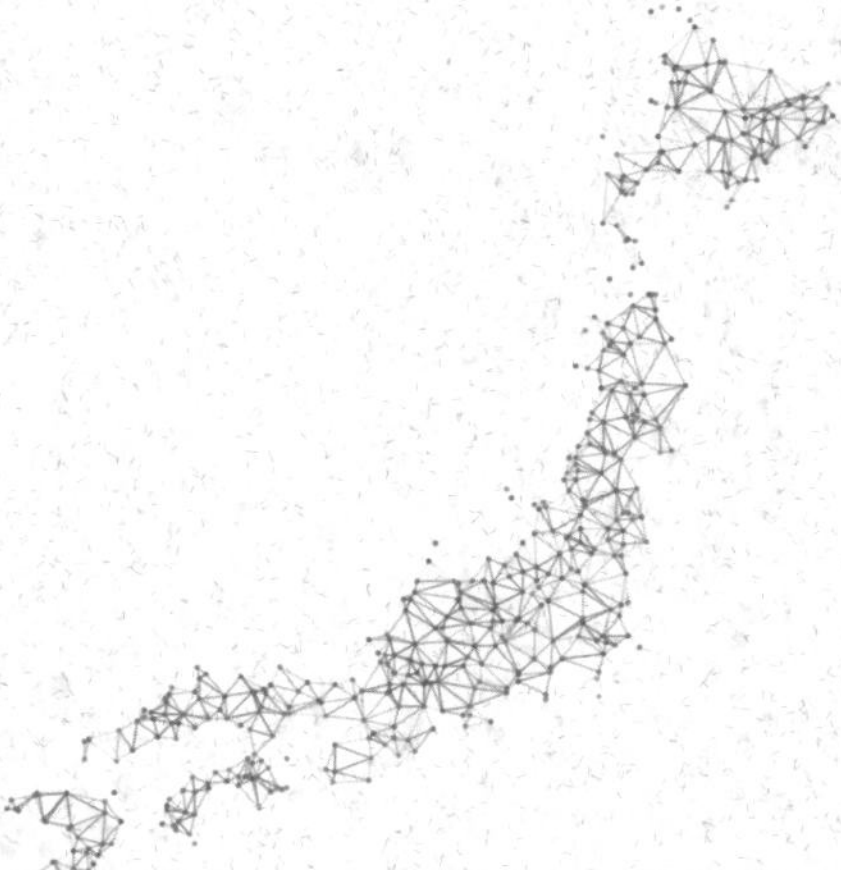

はじめに――序に代えて

日本は、未曾有の危機に直面している

祖国日本は、この先十年後、三十年後、五十年後、いったいどうなっていくのであろうか。この日本で、私の娘や孫は末永く幸せな日々を送ることができるのだろうか。どうしたら、かつてのような「元気な日本」を取り戻すことができるのだろうか……。

こうしたことを考えるうちに、二〇二三年現在の日本の状況を冷静に分析し、将来起こり得るリスクを予想するとともに、それらへの対応策を考え、私なりの提案として書き残すことが、私の最後の仕事ではないかと思うようになった。

本書を執筆している二〇二三年五月、日本は広島を開催地としてG7の議長国を務めた。つまり今なお「先進国」としての地位を維持しているということだ。しかし現状は決して楽観できるものではなく、首脳会議の様子を見ながら、私などは「日本はいつまでG7の一角を占め続けることができるのだろうか」と危惧していた。

アメリカの社会学者、エズラ・ヴォーゲルが、一九七九年に『ジャパン・アズ・ナンバ

ーワン』という本を出版して以来、今年で四十四年が経過した。途中、バブル経済に沸いたこともあったが、バブル崩壊後の日本は「失われた三十年」ともいわれるように、サラリーマンの給料はほとんど増えることなく、デフレが続き、人口は二〇〇八年をピークに減少に転じ、国力は著しく低下しているように見える。さらに今後日本を襲うと思われるリスクは、決して生易しくはない。

二〇一九年以降、四年間で三冊の自著を上梓し、私は日本国への「遺書」を書いたつもりであった。ところが前著を著してからも、事態は一向に改善されず、むしろますます悪化の一途を辿っている。

そこでもう一度、さまざまな資料を精査し、私の経験を踏まえながら、そこから浮かび上がってくる「7つのリスク」をピックアップし、それぞれの問題点を考察した。そして、これらをどのように解決すべきか、私なりの処方箋を明示した。

読んでいただくとわかるように、今の日本を覆う暗雲は、「失われた三十年」の間に徐々に沈潜した澱《おり》がもたらしたものである。これらを払拭することは並大抵のことではないが、解決策は必ずある。

一般の心ある読者の皆様、政治家や企業経営者の方々、この厳しい現状をぜひご理解いただきたい。トップリーダーの任務は、「素早い決断」と「実行」である。「決断」するためにリーダーが存在するのである。もちろん独裁は許されないし、話し合いも大切だ。しかしそれが「小田原評定」になってしまってはいけない。集団決定主義では、責任を分散させるための根回しに時間が費やされ、どうしても決定が遅くなる。決定したあとも、責任を分散させることに汲々としているようでは、生き馬の目を抜く国際社会の競争で勝てるわけがない。

評価は人によって分かれるかもしれないが、例えば田中角栄元首相の「日本列島改造論」や、池田勇人元首相の「所得倍増計画」などのように、大胆で夢のある改革方針を打ち出し、強い決断力で素早く実行に移せるようなリーダーの出現を切に期待したい。未曾有の国難を打ち破り、立て直すために残された時間は少ないのである。

日本が抱えるリスクは解消できるのか

「7つのリスク」とは何か。詳細は本編をお読みいただきたいが、ここでそれぞれのポイントをかいつまんで述べておきたい。

最も重大かつ深刻な「第1のリスク」は、日本がこれから間違いなく直面する「人口激減時代」である。先に結論を申し上げると、この先数十年で、日本人の人口は恐ろしい勢いで減っていくことになる。出生数が減り続け、子供を産める年齢の女性の人数が減り続け、一生結婚しない男女が増え続けている現状において、この大きな流れを食い止めることは、まずできないと考えるべきである。

少子化を防ぐ対策には当然、国を挙げて全力を注ぐべきであろう。しかしそれは、人口減少のスピードをいくらか遅らせる効果はあったとしても、人口減少そのものを食い止めることはできないと考える。そして人口が減れば減るほど、もっといえば日本の経済を担う「現役世代」の人数が減れば減るほど、日本の国力は弱っていかざるを得ない。これがいちばんの問題なのである。

ましてや日本はバブル崩壊後、「失われた三十年」といわれる経済失速の時代を過ごしてしまい、先進諸国の経済発展に大幅に立ち遅れてしまった。そのうえ人口が激減してしまえば、いつの日か「先進国」ですらなくなる日が訪れるかもしれない。

そこで私が提案するのは、外国人を大量に受け入れ、日本に生活基盤を置いてもらい、日本の経済活動を支える存在になっていただくという方法である。国力の低下を防ぎ、人口の減少をある程度食い止め、先進国の地位を維持し続けるためには、もはやこの方法しか残されていないのではないだろうか。

「第2のリスク」は、「日本の社会制度には改革すべき諸問題がいくつも潜んでいること」だ。日本の危機を回避するためには、多くの外国人を迎え入れる必要があると私は考えるが、おそらく多くの国民がそのことを理解していないように思われる。歴史を振り返ってみても、島国の日本がここまで発展してきた理由として、外国からの学問・技術等を積極的に取り入れ、自国の文化に融合してきたことが挙げられる。優秀な外国人も、組織の幹部として、すでに律令時代から登用されてきたのである。こうした事実を再認識するとともに、私たち自身も意識改革が求められているのではないだろうか。

諸外国に比べて労働生産性が低いのも大きな問題だ。いくら外国人に来てもらいたくても、長時間労働で安月給の職場が多いようでは、積極的に日本に行こうとは思ってもらえないだろう。さまざまな足かせや悪しき習慣を取り除き、働きがいのある豊かな国をつくっていかなければならない。

日本人の英語力の不足も、外国人の受け入れにはマイナスとなる。国民のバイリンガル化も含めて、克服すべきさまざまな課題が日本にあることを知っていただきたい。

「第3のリスク」は、「日本政府が抱える巨額の借金」である。

これは識者によってかなり見解に幅がある問題ではあるが、政府の債務残高が減らずに増え続けていることや、借金を返すために借金を繰り返していることなどに、私はたいへん危機感を抱いている。そもそも国民の血税は、不要不急の無駄な事業に湯水のように使われ、特定の組織団体の利権となり、効果の乏しいバラマキ政策に費やされるなどして、国民全体に十分に還元されていない。そうした構造上の問題から解決していかなければならないのではないだろうか。

「第4のリスク」は、いつか必ず発生する「南海トラフ地震」である。

南海トラフ地震は有史以前から繰り返し発生しており、その間隔はおよそ百〜百五十年であることがわかっている。前回発生したのは一九四四年(と一九四六年。詳細は本文参照)であり、その百年後は二〇四〇年代ということになるが、自然のことだけに正確にいつ頃発生するのかはわからない。未曾有の大災害になることは確実であり、可能な限り減災できるように、できる準備はすべて行うべきである。

「第5のリスク」は「戦争」である。

二〇二二年二月に勃発した、ロシアのウクライナ侵攻がいつどうやって終結するのか、いまだ解決の糸口は見えていないように思える。今後どうなるかは注視していくしかないが、戦火がさらに広がる可能性も含めて、必要な備えをしていくべきだろう。

アジアにおいても、恐ろしい勢いで軍拡を続ける中国、ミサイルを発射し続ける北朝鮮、北方領土を不法占拠しているうえに軍事的圧力を強めるロシアなどの「隣国」に囲まれた日本は、よほど心してかからなければ、この先何もせずに平和が保てるとは考えられない。特に政治家の方々には、日本の国土国民を守るよう精一杯活動していただきたい。

「第6のリスク」は「海面の上昇」である。

地球温暖化の原因には諸説あるが、海面が上昇し続けていることは紛れもない事実だ。これは日本だけでなく全世界の問題でもあるが、我が国としても必要な対策を講じていかなければならない。特に海抜の低い地域を守れるようにしなければ、さまざまな被害が生じることになるだろう。

「第7のリスク」は、「日本の家族の形が変化していること」である。

日本では一世帯あたりの家族の人数が減り続け、単身世帯が著しく増え続けている。単身世帯には未婚の独身者だけでなく、配偶者に先立たれた高齢者も含まれる。

子供も減り続け、いわゆる「ご近所づきあい」も希薄になり、地域コミュニティによる他者との触れ合いや助け合いも減り、世代を超えて日本の文化や精神が伝えられる機会すらも減っているように感じられる。これから日本人はどのように変わっていくのか、不安を感じているのは私だけではないだろう。

日本は、何度も困難から這い上がってきた、誇りある国である

忘れてはならないのは、日本は戦後、焼け野原の中から奮起・再起し、たった十九年後に新幹線を開通させ、オリンピックまで開催した「驚異の国」であるということだ。先人

たち（私にとっては少し年上の先輩たち）のすさまじい努力、前向きなエネルギーには心から感服せざるを得ない。そして私自身は戦後の貧しさも奇跡の高度成長も経験し、日本が世界に羽ばたいていた黄金時代に、多くの当時のビジネスマン同様、猛烈に働き、そこでさまざまな経験を積むことができた。ある意味、幸運な世代だったともいえるのかもしれない。

ところがバブル経済が崩壊したのち、日本は約三十年も立ち直ることができず、他の先進国の経済発展についていくことができなかった。バブルが崩壊したからといって、日本中の都市が空襲で破壊されたわけでもなければ、GHQに支配されていたわけでもない。世界の貧しい国々に比べれば信じられないほどの豊かさがあったにもかかわらず、経済成長がほぼストップした状態を約三十年も続けてしまった。わずか十九年間で焼け野原から立ち直ったあの時代と、いったい何が違ったのであろうか。

人口の減少とは裏腹に、平均寿命は延び続け、少し前から「人生百年時代」という言葉が飛び交っている。私が若い頃はまだ「人生五十年」という言葉が残っていたので、わずか数十年の間に二倍も生きるようになったことになる。この寿命の延び方に、我々の心のあり方も健康の保ち方も社会制度の改革も、まだまだ追いついていないのかもしれない。

かと思えば、人口としては少なくなった若者たちの中に、従来の常識では考えられないほど飛び抜けて優秀な人材（天才）も育ってきている。その意味では、私が想像もつかないような新しい時代が彼らによってつくられるのかもしれない。しかしそんな新世代の方々にも、今の日本にはこんな危機があるのだということを知っていただく意味があると信じる。そして、できるだけ多くの方々と危機感を共有し、危機を乗り越え、新しい素晴らしい日本がつくられることを願うばかりだ。

装幀　本澤博子
装画　iStock.com/ FrankRamspott
図版　株式会社ウエイド

日本消滅　未曾有の危機を乗り越えるために◎目次

本編　日本を覆う「7つのリスク」とは何か

第2のリスク　社会制度の変革　52

終章　元気な日本を取り戻すために――まとめにかえて

本編

日本を覆う「7つのリスク」とは何か

第1のリスク　人口の減少と国力の低下

人口の激減

今、日本でいったい何が起きているのか……。公表されている資料をもとに検討していくと、まさに驚くべきことが進行中であるとわかる。

まずは、図表1－1を見ていただきたい。これは、内閣府が公表した人口の長期趨勢《すうせい》予測のグラフである。

これを見ると、平安時代から鎌倉時代、江戸時代を経て、近代日本の人口の推移がわかるのだが、予測を見ると、なんと、二一〇〇年、あと約八十年後には、明治期の人口にまで、激減してしまう可能性があることが見て取れる。今までの政府予測そのものがあまりにも楽観的だったことを考えると、これ以上に人口が減ってしまう可能性も十分にある。

二〇〇四年を頂点にした、この急激な減少カーブはまさに釣瓶《つるべ》落とし、戦慄を覚えない人はいないのではないだろうか。今、まさに日本消滅の危機にあるといっても過言ではな

［図表 1-1］日本の人口の長期趨勢予測

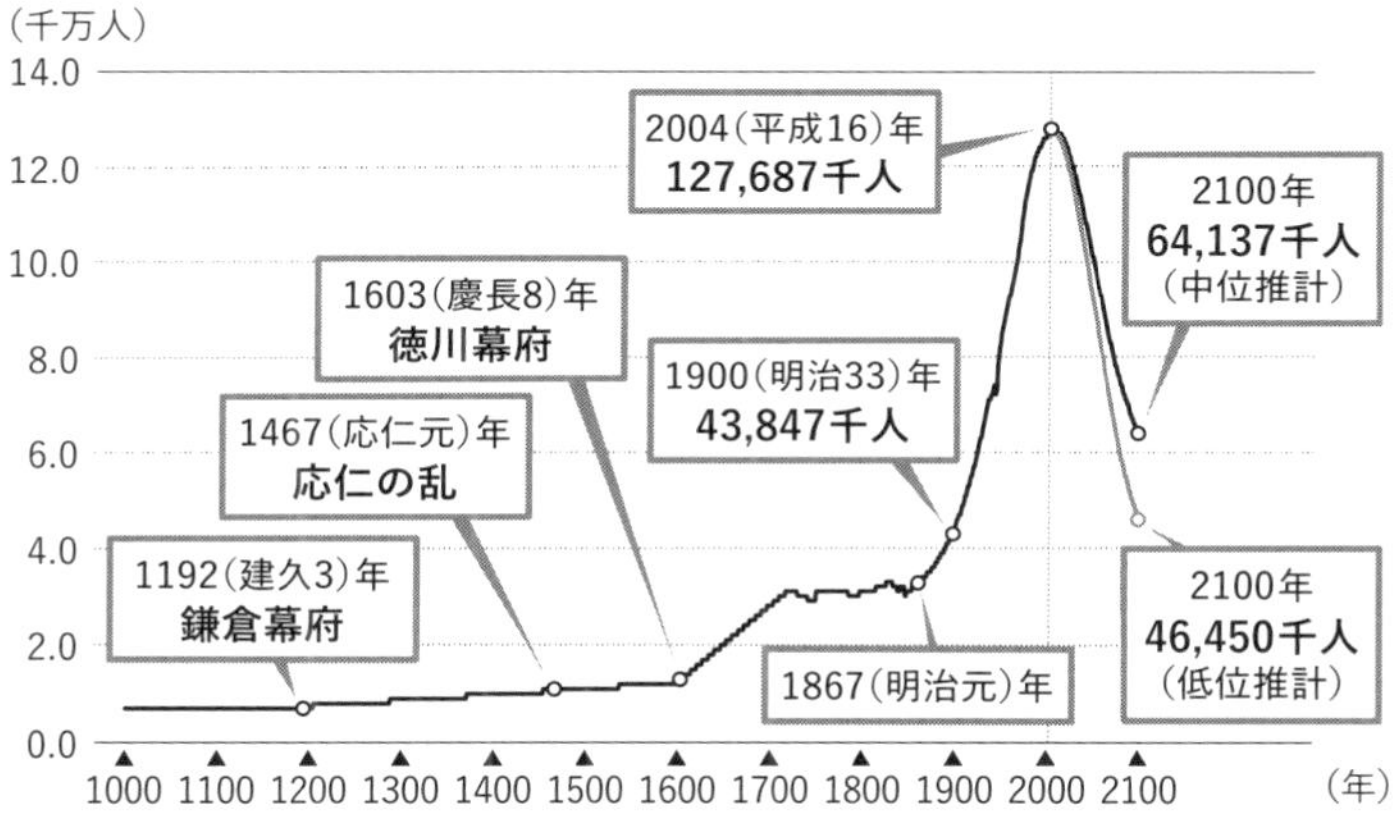

出典　内閣府

い。

国力は人口に依存する

二〇二三年に、インドの人口は中国を抜いて世界第一位となった。中国は一九七九年から二〇一四年まで実施された「一人っ子政策」の影響が出始めており、最近人口が減少に転じたことが報告されている。将来的には人口減少が加速していくことになるだろう。

「世界人口ランキング」と「世界GDPランキング」の表（図表1‐2、1‐3）を見比べていただくと、人口の上位一五カ国中、七カ国がGDPの上位一五カ国にランクインしている。もちろん人口が多いから必ず豊かであるとか、人口が少ないから必ず貧しいということは決めつけられないが、やはり人口が

［図表1-2］
世界人口ランキング（2023）

順位	国名	人口
1	インド	14億2,860万人
2	中国	14億2,570万人
3	アメリカ	3億4,000万人
4	インドネシア	2億7,750万人
5	パキスタン	2億4,050万人
6	ナイジェリア	2億2,380万人
7	ブラジル	2億1,640万人
8	バングラデシュ	1億7,300万人
9	ロシア	1億4,440万人
10	メキシコ	1億2,850万人
11	エチオピア	1億2,650万人
12	日本	1億2,330万人
13	フィリピン	1億1,730万人
14	エジプト	1億1,270万人
15	コンゴ共和国	1億230万人

出典　国連人口基金（UNFPA）「世界人口白書2023」

［図表1-3］
世界GDPランキング（2023）

順位	国名	100万米ドル
1	アメリカ	26,854,600
2	中国	19,373,586
3	日本	4,409,738
4	ドイツ	4,308,854
5	インド	3,736,882
6	イギリス	3,158,938
7	フランス	2,923,489
8	イタリア	2,169,745
9	カナダ	2,089,674
10	ブラジル	2,081,235
11	ロシア	2,062,649
12	韓国	1,721,909
13	オーストラリア	1,707,548
14	メキシコ	1,663,164
15	スペイン	1,492,432

出典　IMF（国際通貨基金）2023

多い国のほうが経済的にも勢いがあるという傾向は認められると思う。そんな中、人口一二位の日本がＧＤＰで三位なのは、かなりの好成績ともいえるが、長年維持した二位の座を奪われた中国の約四分の一と、今やかなり水をあけられている。

そのほか、表には入っていないが、人口四位のインドネシアはＧＤＰで一六位と健闘している。パキスタンは同じく四五位（二〇一九年）、ナイジェリアは三二位、バングラデシュは三七位、エチオピアは五八位、フィリピンは三六位、エジプトは四〇位、コンゴ民主共和国は八四位と、いずれもＧＤＰではまずまずの順位につけている。これらの人口が多い南の国々を「グローバルサウス」と呼ぶことがあるが、こうした地域の成長が将来、見込まれている。

ごく大雑把な捉え方ではあるが、国力と人口にはこのようにある程度の相関関係がある。ということは今後、人口が減り続ける日本経済の将来が危ういということだ。

バブル崩壊後の失速と若者の貧困化

経済の失速という意味では、バブル崩壊以降の「失われた三十年」を象徴するようなデータがある（図表1－4、1－5）。一九八九年の段階で、世界時価総額ランキングにおいて、トップ三〇のうち日本企業がなんと二一社もランクインしていた。世界のトップ企業の大半を我が国の会社が占めていた格好だ。

これが二〇二三年になると、トップ三〇に日本企業は一社もランクインしていない。日本経済が三十年も停滞していた間に、世界の、特にアメリカの企業は著しく発展していることがわかる。二〇二一年に、いわゆる「GAFA（グーグル・アップル・フェイスブック・アマゾン）」四社の時価総額の合計が、日本の全企業の時価総額の合計を上回ったニュースを覚えている人も多いだろう。

この数字は、必ずしも人口の減少と国力の低下がそのまま表されているわけではない。人口が減り始める前から日本の経済は停滞していたからだ。しかし、経済の停滞が特に若

［図表 1-5］世界時価総額ランキング TOP30（2023）

順位	企業名	時価総額（億ドル）	国・地域名
1	Apple	23,242	アメリカ
2	Saudi Aramco	18,641	サウジアラビア
3	Microsoft	18,559	アメリカ
4	Alphabet	11,452	アメリカ
5	Amazon.com	9,576	アメリカ
6	Berkshire Hathaway	6,763	アメリカ
7	Tesla	6,229	アメリカ
8	NVIDIA	5,728	アメリカ
9	UnitedHealth Group	4,525	アメリカ
10	Exxon Mobil	4,521	アメリカ
11	Visa	4,518	アメリカ
12	Meta Platforms	4,454	アメリカ
13	台湾積体電路製造（TSMC）	4,321	台湾
14	騰訊控股（Tencent Holdings）	4,239	中国
15	JPMorgan Chase	4,135	アメリカ
16	LVMH Moet Hennessy Louis Vuitton	4,125	フランス
17	Johnson&Johnson	4,076	アメリカ
18	Walmart	3,842	アメリカ
19	Mastercard	3,376	アメリカ
20	Procter & Gamble	3,285	アメリカ
21	貴州茅台酒（Kweichow Moutai）	3,235	中国
22	Novo Nordisk	3,234	デンマーク
23	Samsung Electronics	3,162	韓国
24	Chevron	3,111	アメリカ
25	Nestle	3,087	スイス
26	Eli Lilly and Company	3,056	アメリカ
27	Home Depot	3,026	アメリカ
28	Merck	2,784	アメリカ
29	Bank of America	2,736	アメリカ
30	Abbvie	2,702	アメリカ

出典　STARTUP DB

［図表 1-4］世界時価総額ランキング TOP30（1989）

順位	企業名	時価総額（億ドル）	国・地域名
1	NTT	1,639	日本
2	日本興業銀行	716	日本
3	住友銀行	696	日本
4	富士銀行	671	日本
5	第一勧業銀行	661	日本
6	IBM	647	アメリカ
7	三菱銀行	593	日本
8	Exxon	549	アメリカ
9	東京電力	545	日本
10	Royal Dutch Shell	544	イギリス
11	トヨタ自動車	542	日本
12	General Electric	494	アメリカ
13	三和銀行	493	日本
14	野村證券	444	日本
15	新日本製鐵	415	日本
16	AT&T	381	アメリカ
17	日立製作所	358	日本
18	松下電器	357	日本
19	Philip Morris	321	アメリカ
20	東芝	309	日本
21	関西電力	309	日本
22	日本長期信用銀行	309	日本
23	東海銀行	305	日本
24	三井銀行	297	日本
25	Merck	275	アメリカ
26	日産自動車	270	日本
27	三菱重工業	267	日本
28	DuPont	261	アメリカ
29	General Motors	253	アメリカ
30	三菱信託銀行	247	日本

出典　STARTUP DB

［図表 1-6］主要企業春季賃上げ率の推移（1956 ～ 2022）

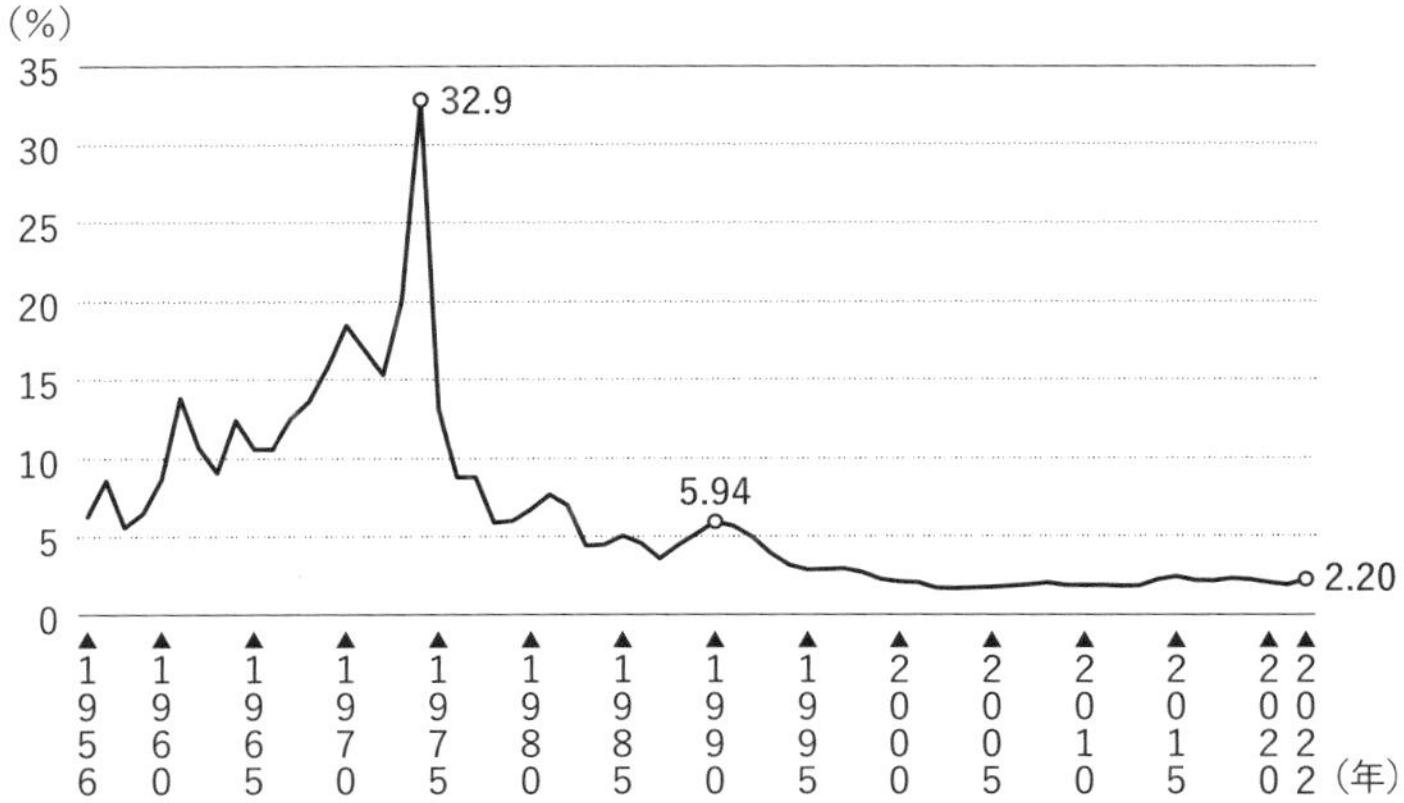

出典　厚生労働省「民間主要企業春季賃上げ要求・妥結状況」

者層の低所得化につながり、後で述べる「未婚率の上昇」と「少子化」を促す結果になっているのは、おそらく間違いないであろう。

若者層の低所得化については、まず「賃上げ率」の推移を確認しておきたい（図表1-6）。高度経済成長期の賃上げ率が突出しているのは別として、バブル経済末期の一九九〇年の五・九四パーセントをピークとすると、その後は減少に転じ、約三十年間、賃上げ率は低迷し続けた。新卒者初任給も同様で、バブル崩壊以降、男女とも上昇率が低迷しているのは周知の通りである。賃上げ率が上がらず、初任給も上がらないということは、大まかにいえば、平成期以降の若者は一貫して「豊かになれない状態」が続いているということになる。

さらにいえば、バブル崩壊以降、親世代の収入も伸びない、もしくは減少しているため、大学に進学しても奨学金（という名の借金）を受けなければいけない人が増え、卒業後はその返済が重くのしかかっている。

また、財務省の発表では、二〇二二年度の「国民負担率」、すなわち国民所得に占める税金や年金・医療保険などの社会保険料の割合が、四七・五パーセントになる見込みであることを発表した。収入が上がらないうえに、その収入の約半分を国が奪い取っている格好だ。それが全国民にきちんと還元されるなら納得もできるが、税金の無駄遣いや利権構造は常に指摘されていることであり、必ずしも国民のために使われているとはいい難い。

このように、二重三重に若者および国民の経済力が奪われ続けている実態が浮かび上がってくるのがおわかりいただけるだろう。

二〇二三年の賃上げドミノと企業の内部留保について

二〇二三年になって「賃上げドミノ」が発生し、確かに初任給は大幅に上昇し始めた。初めてメガ銀行が「横並び」を止めるなど、状況は変化しているように見える。

これに関しては、初任給額が欧米に大きく引き離され、国際労働市場における採用競争力が落ちたことを受けて、少しでも挽回しようとしている側面がある。また、アフターコロナの経済の回復期に入り、人手が必要であるにもかかわらず、若者世代の人口減少により、働き手不足が顕在化したことも影響しているだろう。

その一方で、近年、日経平均株価は高値を維持し、求人倍率も上がり、経済はそれなりに堅調であるように見えながら、なぜデフレから完全に脱却できず、初任給も賃上げ率もなかなか上がらない状態が続いていたのであろうか。これについては、「失われた三十年」の間に、企業が「内部留保」を増やし続けてきた点を指摘しなければならないだろう。

つまり、賃上げの原資がまったくなかったわけではなく、企業が利益をしっかりと従業員に還元してこなかった側面があるのだ。バブル崩壊時の苦い経験から、不況時への備えとして、多くの企業は内部留保を増やそうとしたのかもしれない。しかし企業のそうした慎重な姿勢が経済の停滞感を生み出し、若者から結婚・出産のチャンスを奪い、人口減少を促進させてきた理由の一つになっている。

出生数の減少について

日本の場合、出生数の増減は婚姻数の増減と直結している。ここに戦後の婚姻件数の推移を表したグラフがある（図表１－７）。

二〇一九年から二一年にかけての落ち込みには当然、コロナ禍の影響もある。特にコロナ禍の初期は人と人との対面による交流が著しく制限され、男女の交際を阻害する要因になっただけでなく、結婚式などの開催がはばかられて結婚を延期したケースも少なくないだろう。しかし、全体を見ると、一九七二年をピークに、漸減傾向であることは一目瞭然だ。

さらには先ほどから述べているように、若者層の所得が少ないことによって、結婚そのものに踏み切れない人も多くいると考えられる。生涯未婚率の推移のグラフ（図表1－8）を見てほしい。そもそも「人生で一度も結婚しない人」が近年増加の一途を辿っている。

ここでいう「生涯未婚率」というのは、五十歳までに一度も結婚しない人の割合を示す統計指標のことである。生涯独身の人の比率を示す指標として、「四十五～四十九歳」と「五十～五十四歳」の未婚率の平均値として算出する方式が採られている。

一九八五年時点の生涯未婚率は、女性が四・三パーセント、男性が三・九パーセントと極めて少数であった。これが二〇二〇年になると女性一六・四パーセント、男性二五・七パーセントまで上昇している。原因は一括りにはいえないものの、「失われた三十年」の影響は確実にあるはずだ。これが二〇四〇年には女性一八・七パーセント、男性二九・五

[図表 1-7] 婚姻件数の推移

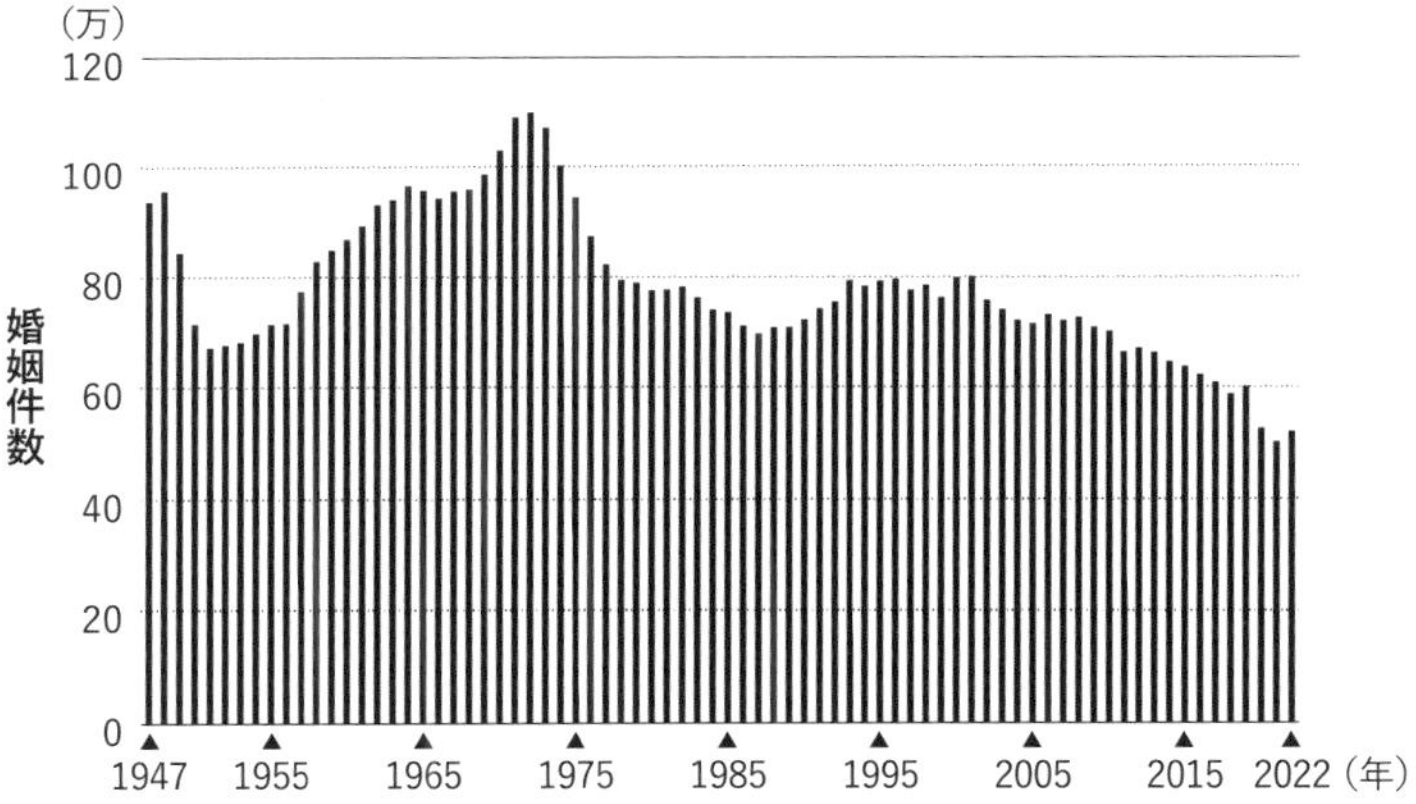

出典　厚生労働省「令和３年人口動態統計月報年計と人口動態統計」等

[図表 1-8] 生涯未婚率の推移

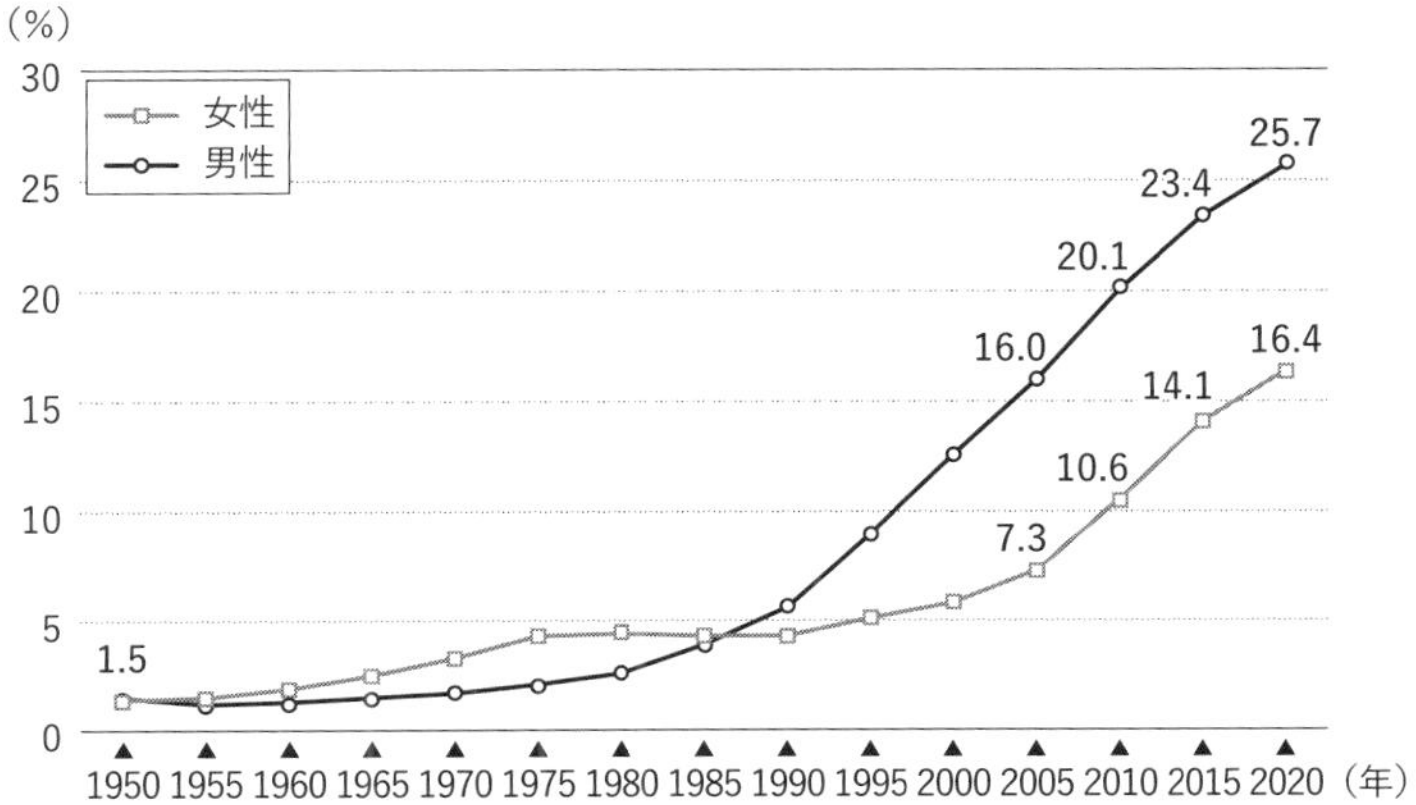

出典　内閣府男女共同参画局、国勢調査

パーセントまで上昇するという将来予測もある。

結婚をしない人が増え続けているということは、子供を産まない人が増え続けていることと、ほぼイコールと考えていいだろう。人口が減り、出産できる女性の人数が減っているうえに、結婚する人まで減り続けている状況では、将来的に出生数を増やすことはほとんど絶望的になったと考えざるを得ないのではないか。

あるいは結婚したとしても、出産・子育て・教育などの費用が不足しているために、出産を控える傾向があるのも間違いない。共働きの夫婦が多いことも、出産の機会を減らしていると思われる。また、女性の出産後の職場復帰に関しても、近年企業努力などによって状況は改善されてきているとはいえ、まだ十分とはいえず、出産に二の足を踏む女性も少なからずいるはずだ。これらは出産費用や児童手当などの「バラマキ政策」では解消しにくい社会問題といえるのではないだろうか。

二〇二三年四月二十七日付の「日本経済新聞」の記事によると、国立社会保障・人口問題研究所は、二〇五九年の出生数は五〇万人を割ると発表しているとのことだ。しかしこの予想も楽観的過ぎるのではないかと私は見ている。

二〇二三年六月二日の厚生労働省の発表によれば、二〇二二年の日本の合計特殊出生率は一・二六まで落ち込んだとのこと。一人の女性が一生の間にほぼ一人しか子供を産まないということは、極端にいえば人口が半減することを意味する。これは極めて低い数字であるといわなければならない。これについて官房長官は「静かなる有事として認識すべき」とコメントしている。まさに人口激減の危機が訪れているということだ。フランスの一・八や、アメリカの一・六八も、決して高い数字ではないのだが、それでも一人の女性が二人近く産んでいるわけで、日本の出生率の低さは際立っているといわざるを得ない。

一言でいえば、このままでいけば将来の日本の人口は恐ろしい勢いで減り続ける。安全保障の観点からも、まさに「静かなる有事」が進行中ということである。

日本人の海外への流出

出生数の減少に加えて、日本から海外へ移住する人も少しずつ増えている。外務省の統計によれば、二〇二二年十月一日現在、海外の永住者は五五万七〇〇〇人と過去最高を記録し、長期滞在者と永住者との合計数は約一三〇万九〇〇〇人にのぼっている。

海外移住の動機としては、日本の「賃金の低さ」「労働環境への不満」「閉塞感・停滞感」などがあげられている。実は女性の比率が高く、海外移住者全体の六二・三八パーセントを占めている。なぜ女性のほうが海外に出たいと考えるのか。もちろん理由は人それぞれであろうが、一つには、日本社会の「男女格差」に原因があるとはいえないだろう

［図表 1-9］「ジェンダーギャップ指数」ランキング（2023）

順位		国
1	（1）	アイスランド
2	（3）	ノルウェー
3	（2）	フィンランド
4	（4）	ニュージーランド
5	（5）	スウェーデン
16	（19）	フィリピン
49	（49）	シンガポール
72	（83）	ベトナム
74	（79）	タイ
87	（92）	インドネシア
102	（103）	マレーシア
105	（99）	韓国
107	（102）	中国
123	（106）	ミャンマー
125	（116）	日本
127	（135）	インド

6位以降はアジア主要国抜粋、カッコ内は前年順位、ランキングは146カ国が対象
出典　世界経済フォーラム（WEF）

か。

図表１－９をご覧いただきたい。世界経済フォーラムの「ジェンダーギャップ報告書２０２３」によれば、日本の男女格差は、調査の対象となる一四六カ国中一二五位であり、前年の一一六位からさらに順位を下げている。これはつまり、日本の社会構造や諸制度が、概《おおむ》ね男性にとって有利であり、女性には不利な状況があると評価されていることになる。

例えば、企業で働く際、女性は男性よりもキャリアアップが図りにくい現実がある。さまざまな業界において、女性の幹部への登用が後れている。あるいは、結婚、出産、育児による三～五年のブランクを経た女性が、現職に復帰しようとする場合、それに対応した人事制度を整えた会社も増えているとは思うが、会社の規模によってはなかなか対応が難しい場合も多いだろう。せっかく高い能力を持った女

性が、出産後にパートタイマーのような待遇しか受けられなかったとしたら、納得できない人も少なくないはずだ。

こうした男女格差への不満から、格差の少ない社会でのキャリア形成を期待して海外を目指す女性は、今後も増え続けていくと予想される。

これもまた、日本の人口減少の一因と考えていいだろう。

労働力が不足する

人口が減れば、当然、労働力も減っていく。特に今の日本は「超高齢社会」であり、二〇二一年の段階で、六十五歳以上の人口が二八・九パーセントと三割近くに達している（二一パーセント以上で「超高齢社会」となる）。つまり、そもそも「現役世代」の人数が少ない上に人口も減り続けているということだ。

リクルートワークス研究所では、二〇四〇年には一一〇〇万人の労働力が不足するという予測がなされている（図表1－10）。さらに職種別では、建設業の不足数は六五・七万人、保健医療専門職で八一・六万人、介護サービスでは五八万人になるといわれている（図表1－11）。働き手が足りないということは、例えば建設業では老朽化した道路がそのまま放置されたり、医療や介護ではサービスが必要な人に行き届かなくなったりするとい

［図表 1-10］将来予想される労働力不足数

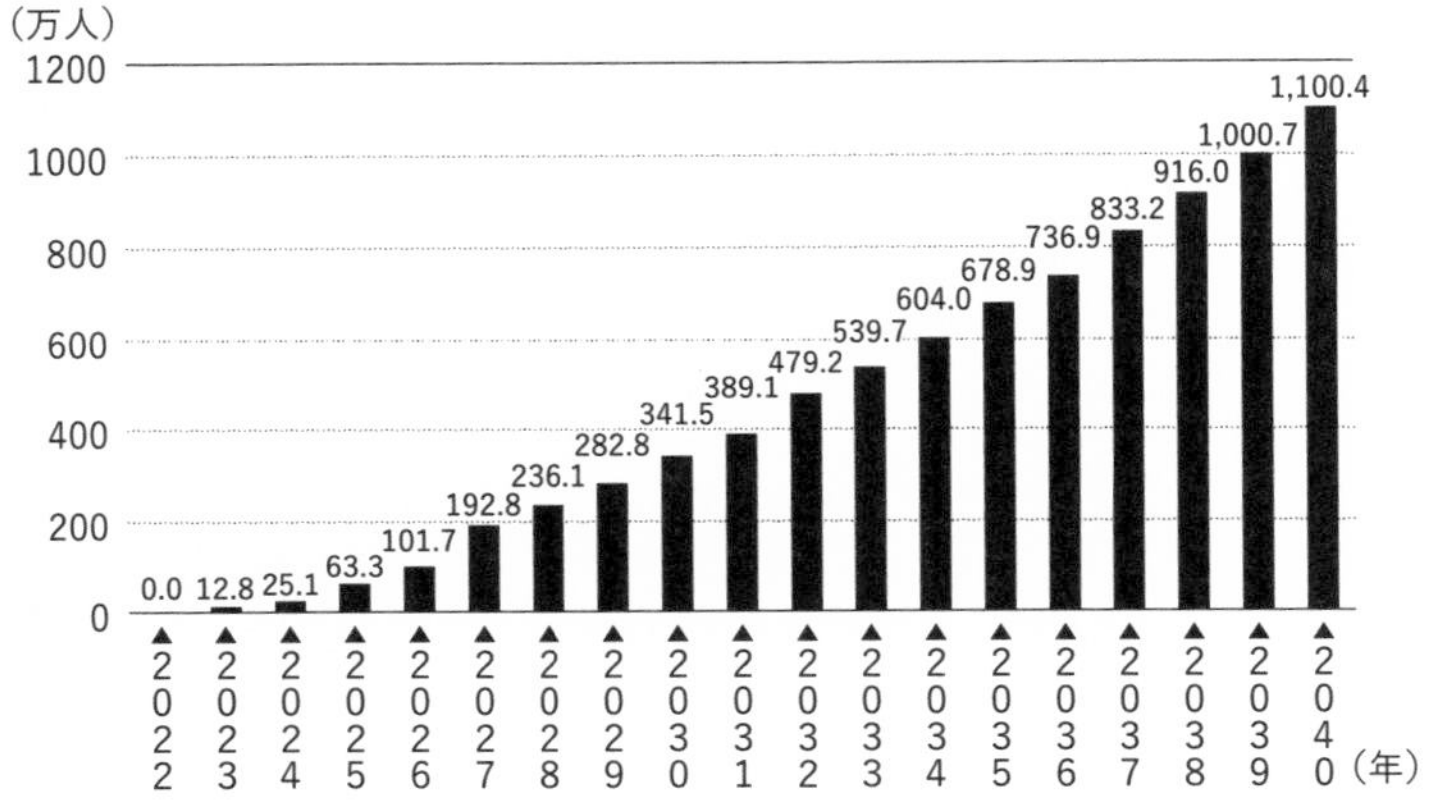

出典　リクルートワークス研究所「Works 未来予測 20XX」、河合雅司『未来の年表』等による

［図表 1-11］将来予想される職種別の労働力不足数

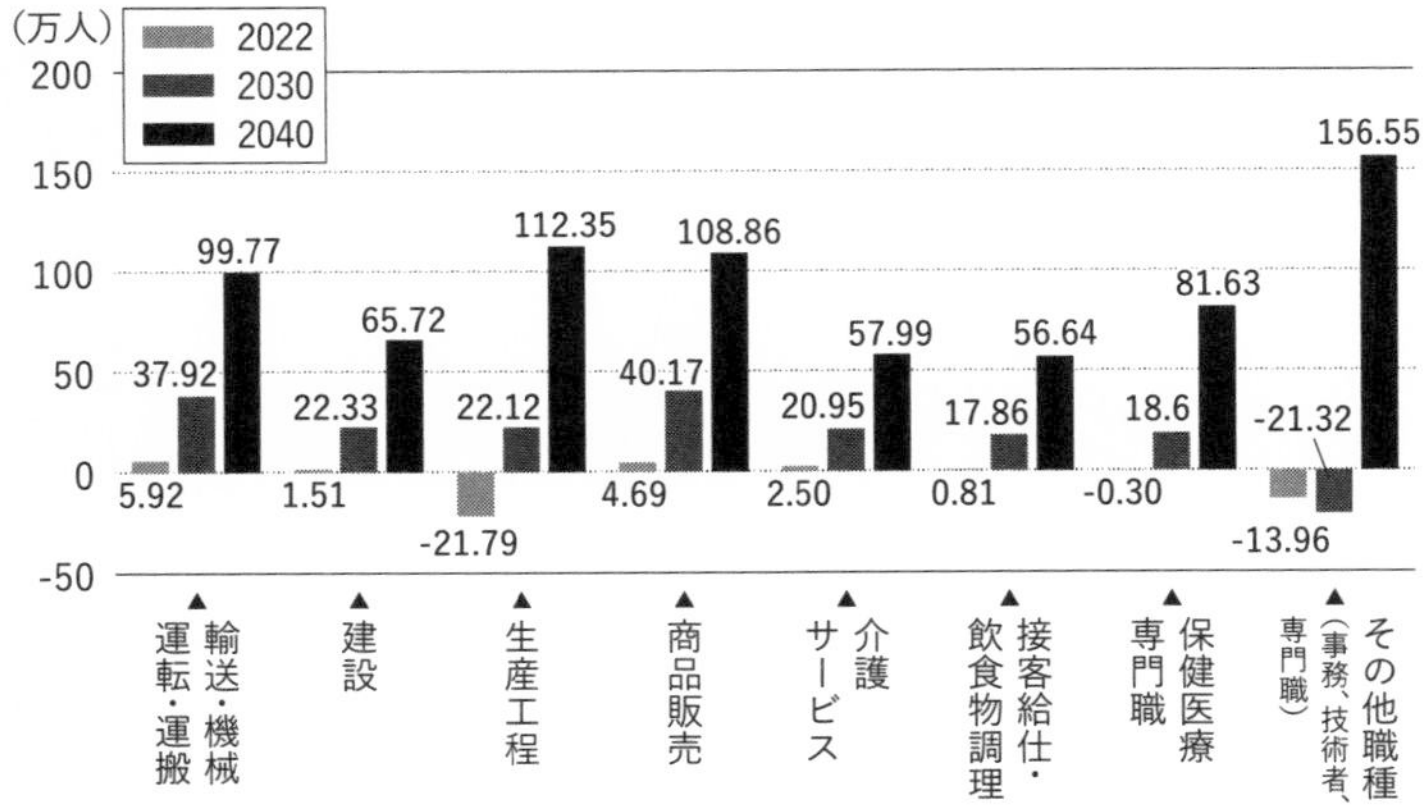

出典　リクルートワークス研究所「Works 未来予測 20XX」による

うことだ。労働力不足はすでにあちこちで顕在化しており、二〇二三年五月十六日付の「日本経済新聞」によれば、登別温泉旅館では「時給二〇〇〇円」でも働き手が見つからないと報じられている。

この労働力不足を補うには、これまで以上に多くの外国人に日本に来てもらうしかない、ということになるだろう。しかし、G７諸国の中でも日本の給与は最低水準であり、外国の方々にとって、日本は働く場所として魅力があるとはいえない。前述の通り、二〇二三年に賃上げドミノが始まったが、一過性ではなく、今後も持続的な賃上げが望まれる。

一九八〇年前後の活気にあふれた日本のような、明るい未来が感じられる世の中になってほしいものだ。

女性の年収の壁

労働力の確保という意味でも、女性の活躍の場を奪うという意味でも、女性の収入が制限されるという意味でも、いわゆる「一〇三万円の壁」「一三〇万円の壁」といったものが、今や大きな足かせになっている。そのポイントをまとめてみたのが図表１‐12である。

［図表 1-12］配偶者扶養による「年収の壁」

103万円の壁	配偶者の扶養に入っている人の給料がこの金額を超えると（以下同じ）、オーバーした分について所得税の納税義務が生じる。
106万円の壁	パート先の企業の規模等いくつかの条件によって、自分で社会保険（健康保険・厚生年金保険）に加入することになる。
130万円の壁	配偶者の社会保険上の扶養ではなくなるため、自分で社会保険に加入して保険料を納めなければならなくなる。
150万円の壁	配偶者特別控除の額が段階的に減額される。さらに「201.6万円」以上になると、控除がゼロになってしまう。

このような「壁」の存在により、配偶者の扶養に入っている人（多くは女性）は、「働き損」にならないように、労働時間を制限するのが当たり前になっている。これはこれで意味のある制度ではあるのだが、労働力が不足する時代に労働力を制限し、収入が伸びない時代に収入を制限し、さらには女性の活躍の場を制限していることにもなる。

野村総合研究所のリポートによれば、配偶者の扶養に入っている人の約六割が、この年収の壁を意識して働く時間を抑えているという。ところが、その人たちのうち約八割が、「働き損にならなければもっと働きたい」という意欲を持っているそうだ。

みずほリサーチ&テクノロジーズの試算では、就労調整をしている非正規雇用者が調整を止めた場合、日本全体で約七〇万人分の雇用増効果があるという。また野村総合研究所の試算では、年収一〇〇万円未満の人の労働時間が「二割」増えれば、日本のGDPを一・八兆円（〇・三パーセント）押し上げる効果があるとのこと。これは無視できない数字である。

政府は保険料の負担が増えても手取り額が減らないように助成を行うことを検討しているが、あくまでも「つなぎ」に過ぎない。仕組み全体の見直しが急務であろう。

近年の在留外国人の状況

人口の減少をできるだけ食い止めながら、日本が国力を維持し、先進国の地位を保っていくためには、外国からの移民の受け入れを積極的に進めていくべきではないかと私自身は考えている。

実は「移民」という言葉の定義はややあいまいだが、「定住する国を変更した人々」という捉え方をしておけば、概ね間違いないだろう。また、ただ住むだけでなく、「その国で労働に従事しながら住むこと」という意味合いが強いといえる。

移民と混同してしまいやすい言葉に「難民」がある。難民とは、自国内で迫害を受けたり、紛争が起きたり、暴力が蔓延したりするなど、その国で公共の秩序が維持されておらず、国際的に保護する必要性が生じて、出身国以外に逃れた人たちを指す。難民については後で述べることとする。

では、日本にはどれくらいの外国人が生活しているのだろうか。図表１‐13はここ十年ほどの「在留外国人」の数の変化を表している。これによると、二〇二二年末時点の在留外国人は、三〇七万五〇〇〇人あまり。同年の日本の総人口は、一億二四九四万七〇〇〇人であるから、日本の総人口に占める割合は二・四六パーセントとなっている。

これを多いと見るか少ないと見るかは人それぞれの考え方次第であろうが、私個人はまだまだ少ないと考えている。とはいえ、ここ十年で大きく増加していることは確かだ。

次に在留外国人の「在留資格」の内訳を見てみよう。こちらのグラフは出入国在留管理庁が二〇二三年に公表したものである（図表１‐14）。

まず「永住者」とは、法務大臣が永住を認める者で、日本に生活基盤を置いて生涯を過ごす者のことをいう。永住者の在留資格を得ると、在留期限が無期限となり、就労についての制限もなくなる。ただし日本に帰化したわけではないので、外国人登録や、出国したときには再入国許可を取得する必要があり、参政権も認められていない。

次に「技能実習」とは、「外国人技能実習制度」のもとで来日している人たちのことだ。「技術・人文知識・国際業務」とは、大学卒業程度の学歴の要件を満たし、自然科学や人文科学における専門技術職、あるいは国際業務に従事する外国人を受け入れるための在留資格であり、就労先がある限り、在留期間を更新し続けることができる。

［図表 1-13］在留外国人数の推移

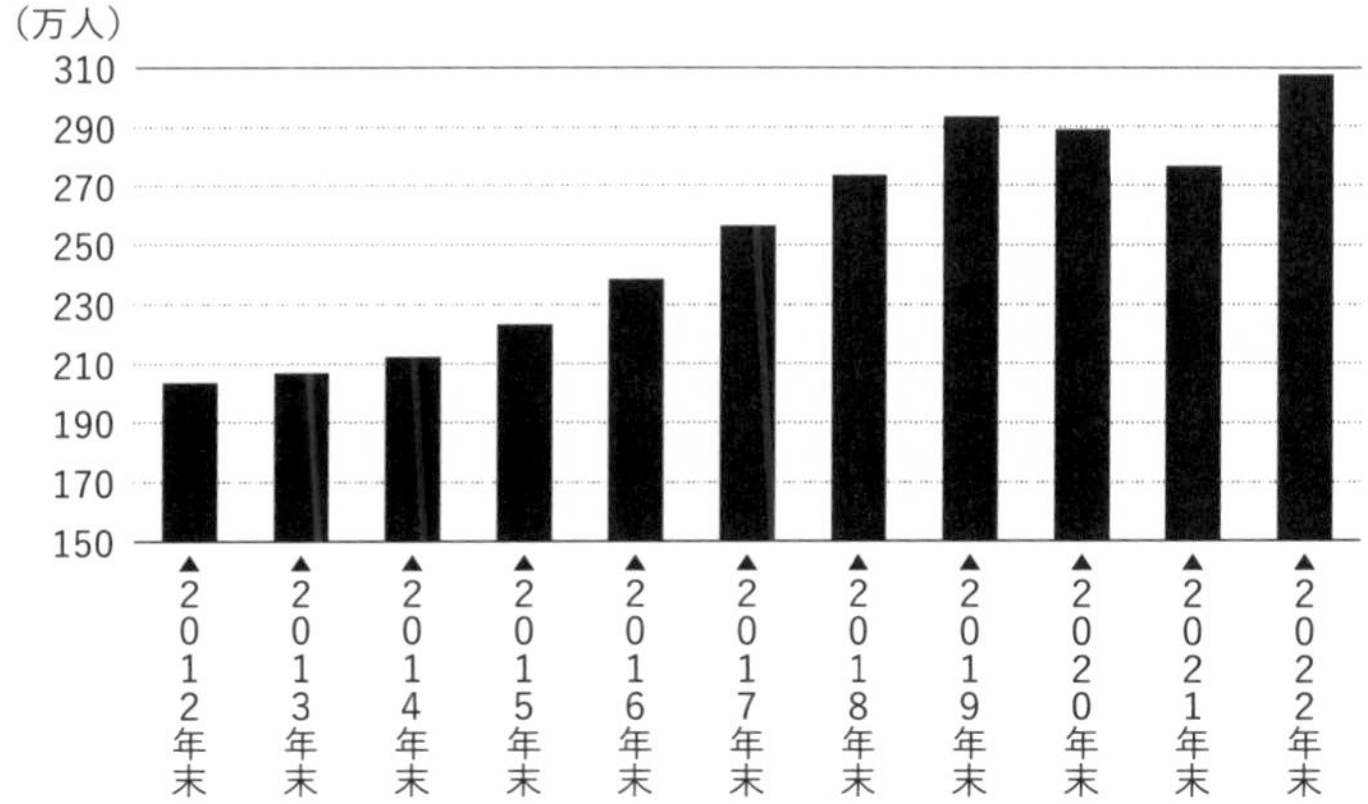

出典　出入国在留管理庁

［図表 1-14］在留外国人の構成比（2022）

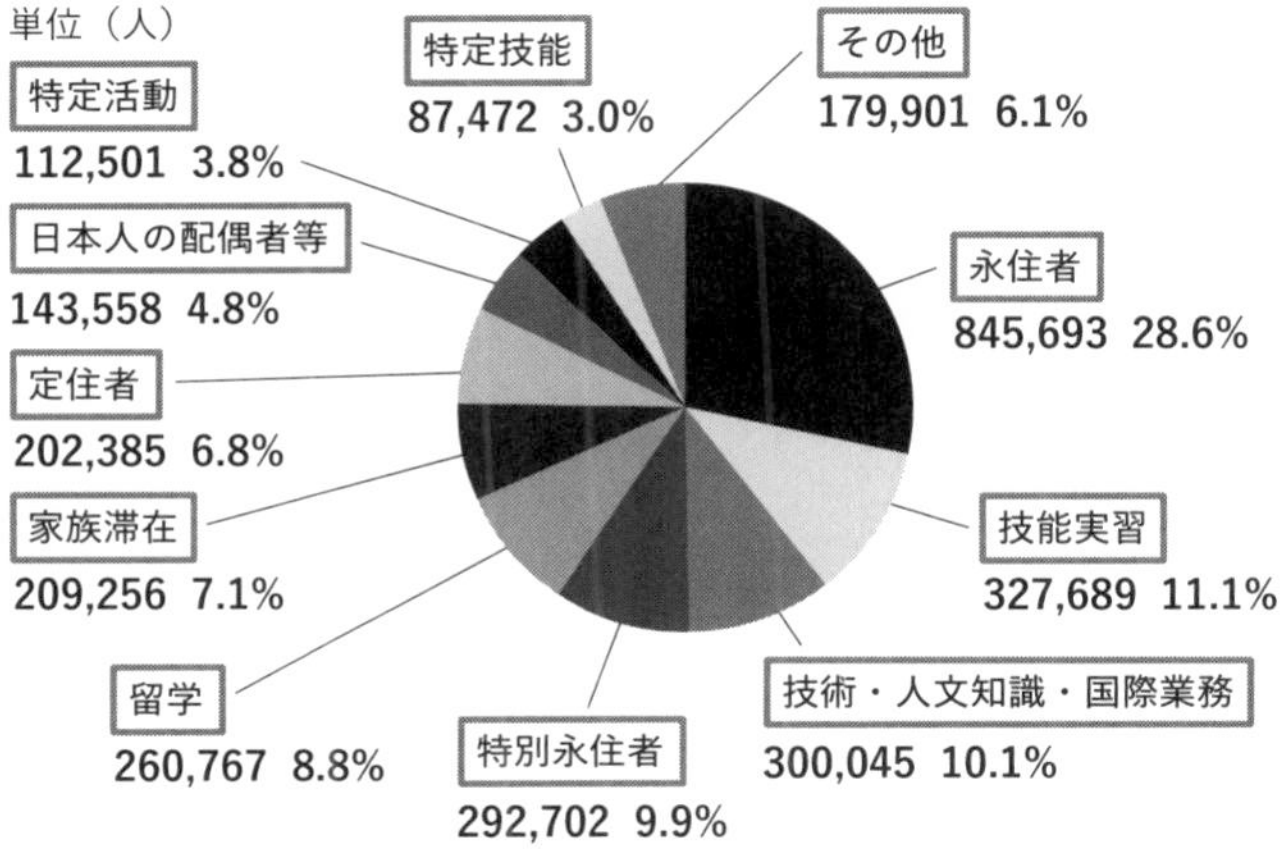

出典　出入国在留管理庁

「特別永住者」とは「入管特例法（日本国との平和条約に基づき日本の国籍を離脱した者等の出入国管理に関する特例法）」で規定されている特別な在留資格であり、韓国人、朝鮮人、台湾人を中心とする限られた外国人だけが申請することができる。

その他、留学生や日本人と結婚した人たちなど、さまざまな在留資格の人たちを含め、二〇二二年六月末の段階では、合計約二九六万人の外国人が日本に在留していた。

もう一つ、日本に帰化した外国人の人数も確認しておこう。法務省民事局のデータによれば、一九六六年から二〇二二年までの期間、韓国や中国の方々を中心に、累計約五九万二五〇〇人が日本国籍を取得している。一部不許可となっている人もいるが、申請者の大部分がすでに「日本人」になっていることがわかる。

外国人の割合を増やす

先ほど日本の人口に占める「在留外国人」の割合は二・四六パーセントであると述べた。今後日本の人口が加速度的に減り続けることを考えれば、日本に帰化するかどうかは別にして、「現役世代」の在留外国人の数がもっともっと増えて、日本の国力のプラスになってくれることを私は願っている。比率でいえば、日本人五〇パーセント、在留外国人五〇パーセントが混在する社会が形成されれば、従来では考えられないほどエネルギーに

［図表 1-15］人口に占める外国人割合上位 20 市区町村（2020）

順位	都道府県	自治体名	人口(A)	外国人人口(B)	外国人割合(B/A)
1	北海道	勇払郡占冠村	1,613	516	31.99%
2	大阪府	大阪市生野区	127,452	28,178	22.11%
3	群馬県	邑楽郡大泉町	41,987	7,977	19.00%
4	北海道	虻田郡倶知安町	16,892	2,497	14.78%
5	北海道	虻田郡留寿都村	2,070	301	14.54%
6	北海道	余市郡赤井川村	1,273	179	14.06%
7	大阪府	大阪市浪速区	69,259	9,641	13.92%
8	東京都	新宿区	348,452	42,598	12.22%
9	愛知県	名古屋市中区	88,683	10,568	11.92%
10	北海道	虻田郡ニセコ町	5,403	636	11.77%
11	長野県	北安曇郡白馬村	9,484	1,113	11.74%
12	神奈川県	横浜市中区	152,210	17,310	11.37%
13	東京都	豊島区	290,246	29,672	10.22%
14	埼玉県	蕨市	75,679	7,397	9.77%
15	兵庫県	神戸市中央区	137,782	13,355	9.69%
16	岐阜県	美濃加茂市	57,330	5,325	9.29%
17	大阪府	大阪市西成区	105,987	9,769	9.22%
18	大阪府	大阪市東成区	83,977	7,505	8.94%
19	東京都	荒川区	217,146	19,298	8.89%
20	大阪府	大阪市中央区	102,432	9,083	8.87%

出典　総務省

満ちた新しい日本をつくることができるのではないだろうか。

五〇パーセントというと、日本に住む人間の二人に一人が外国人ということであり、とても想像がつかないという方もいらっしゃるだろう。しかしながら、市区町村単位で見れば、一位の北海道占冠《しむかっぷ》村は総人口が少ないことも勘案しなければならないが、すでに約三二パーセントが外国人となっている。大阪市生野区では約二二パーセント、群馬県大泉町では一九パーセントが外国人であり、すでにかなり高い割合を実現している（図表1－15）。この傾向が全国で広がっていけば、五〇パーセントという数字も実現不可能ではないと私は考えている。

二〇二三年四月二十六日付の「日本経済新聞」には、二〇七〇年には、総人口の一割超が外国人になるとの予測が紹介されていた。しかし、これまで述べてきた通り、私の予想ではもっと早く急激に人口が減り続けるはずだ。したがって「外国人割合」をもっともっと高めていかなければいけないし、そうした共通認識・危機意識が広がってほしいものである。

在留外国人が大幅に増えれば、男女問わず日本人と外国人との国際結婚もそれに合わせて増えていくだろう。近年の夫婦の一方が外国人である婚姻数は年間二万件強、比率にして三パーセント台で推移している。これが将来増加し、混血が進むことによって、より進化した日本人が生まれる可能性もあるのではないか。あるいは日本人の概念そのものが変化していくことも考えられる。

人口は二万人ほどだったとの推測もある縄文時代、そして弥生時代、日本列島には南方などからやってきた多くの渡来人が住み着き、先住民との交配が進み、その後の日本を形成していった。ルーツをたどれば、そもそも日本は混血によって形成された国だともいえる。

もちろん、文化・文明・国家システムが生まれる前の時代と、その後千数百年もかけて

［図表 1-16］日本への好感度ランキング

順位	国・地域	比率
1	台湾	98.3%
1	タイ	98.3%
3	ベトナム	98.0%
4	マレーシア	96.7%
4	フィリピン	96.7%
6	香港	95.7%
7	シンガポール	93.7%
8	インドネシア	92.7%
9	インド	90.3%
10	イタリア	89.3%

順位	国・地域	比率
11	トルコ	88.0%
12	ロシア	84.3%
13	オーストラリア	76.0%
14	フランス	73.0%
15	イギリス	71.0%
16	中国	70.5%
17	アメリカ	65.3%
18	カナダ	65.0%
19	ドイツ	64.0%
20	韓国	58.7%

出典　電通　ジャパンブランド調査(2019)

一つの国家、一つの文明圏をつくり上げ、豊かな文化を育んできた現代の日本とを同一視することは不可能だ。しかし、ただただ人口が減るのに任せて、日本という国が衰退していくのを指をくわえて見ているくらいなら、覚悟を決めて外国の血を入れ、新しい日本をつくっていくことも、考えてみる価値があるのではないだろうか。

日本は海外から好かれている

幸いなことに、日本は多くの国の人たちから好かれているというデータがある（図表１－16）。二〇一九年の電通の調査によると、日本への好感度が一位の台湾とタイは、いずれも九八・三パーセントと、ほとんど全国民に近い人たちが日本のことを好きだといってくれている。さらになんと九位のインドまでが九〇パーセントを超えており、一一位のトルコでも八八パーセントという高い数値が出ている。また順位は低いものの、イギリスとドイツは二〇一六年の調査から大幅に数値が上昇しているとのことだ。

これは移民推進派の私にとって、非常に明るい材料だととらえている。というのも、日本の企業の給与額は、他の欧米先進国よりもかなり低い。つまり「就職先」としては、あまり魅力的ではないといわざるを得ない。二〇二三年に「賃上げドミノ」が始まったと述べたが、まだまだ欧米には遠く及ばないのが現実だ。

それでも、相手（国）のことが好きであれば、「痘痕《あばた》も靨《えくぼ》」ではないが、たとえ給料が安くても「日本で働きたい」と思ってくれる人もいるのではないだろうか。具体的には、日本の安全性の高さ、清潔さ、誠実で礼儀正しい人柄などで好感をもたれているようだ。私の十年に及ぶ海外赴任経験からも、それは実感している。

もちろん、「現存する世界最古の国家である日本」には、長く受け継がれた伝統文化が豊富に存在し、歴史的遺産も非常に多い。自然も豊かで美しく、食べ物も美味しい。そのため観光先としても、また移住先としても魅力的なのであろう。その他、日本のアニメーションやゲームなどは、欧米の若者にファンが多いと聞く。そうした方々に、ぜひ日本の土を踏んでもらいたいと切に願っている。

［図表1-17］理想の移住先ランキング

順位		国
1	(30)	カナダ
2	(13)	日本
3	(12)	スペイン
4	(8)	ドイツ
5	(6)	カタール
6	(5)	オーストラリア
7	(4)	スイス
8	(3)	ポルトガル
9	(2)	アメリカ
9	(2)	イギリス

カッコ内は、何カ国から移住先1位として選ばれたかを示す
出典　米レミトリー社

日本は「移住先」として人気が高いというデータもある（図表1－17）。ランキングのカッコ内の数字は、その国を理想の移住先一位に選んだ国の数を表している。これによると、日本を「理想の移住先一位」と選んだ国は一三カ国で、カナダに次いで二位につけている。その内訳はカナダ、アメリカ、モンテネグロ、ジョージア、ネパール、ミャンマー、タイ、カンボジア、ラオス、インドネシア、フィリピン、台湾、オーストラリアである。この数字もまた、移民推進の可能性の高さを示している。

移民は是か非か

ただし、いくら日本が国として好かれていても、移民を大量に受け入れる道のりは簡単ではない。例えば日本は八《や》百万《およろず》の神々とともに生きてきた「多神教」の国と見ることができる。仏教伝来以降は「神仏習合」の考え方が生まれ、どちらの信仰も共存し、大切に守り続けられてきた。

豊臣秀吉がキリスト教を禁じたのは、当時のポルトガル商人が多くの日本人を奴隷として海外に連行していたからだといわれており、その説を取れば必ずしも特定の宗教弾圧だったとはいえない。ましてや現代の日本人に至っては、赤ん坊が生まれれば神社にお宮参りをし、秋にはハロウィンを楽しみ、十二月にはクリスマスを祝い、正月には初詣をし、亡くなった人は仏教のお寺で埋葬される。宗教に「寛容」な、世界でも類を見ない国である。

ところが外国は違う。「一神教」を頑なに信じる人たちの多くは、自分たちの宗教を絶対視しており、それ以外の宗教や神仏を完全に否定する。日本人の多くは、そうした人たちをも寛容に迎え入れるかもしれない。しかし近年、ごく一部ではあるが、外国人が神社等を破壊するといった許しがたい事件が起きている。そんな犯罪行為に及ぶ人はさすがに少数かもしれないが、たとえ少数であっても、日本の伝統文化や信教の自由を破壊しようとする人が移民の中に紛れ込んでいると、心情的に受け入れられない日本人も少なからずいるはずだ。これがエスカレートすると、社会の分断にもつながりかねない。

外国での宗教関連問題の例を挙げれば、アフガニスタンを支配したタリバンが、貴重な文化遺産であるバーミヤンの仏像を破壊したのを覚えている方も多いはずだ。移民が大量に流入することで、それに近い暴挙が日本で絶対に起こらないという保証はない。あるいは共産主義者に至っては、すべての宗教を否定する。そこにも融和に向けた大きな大きな壁があるといっても過言ではないだろう。

移民を大幅に増やすということは、そうした文化の衝突や軋轢《あつれき》を乗り越えなければいけないという意味でもある。それだけではなく、言葉が通じない大量の移民が日本に馴染んで暮らせるようにしていくためには、国家として何らかのサポートが必要になる。そうなると、例えば外務省に「移民局」（後述）を新設するなど、そこにそれなりの予算と手間を割かなければならなくなるだろう。当然そのための財源も人員も要る。

いずれにしても厳しい選択であり、困難な道ではあるが、それでも私は日本という国をなくしたくない。苦痛をともなう大きな変化があったとしても、それを乗り越えて、新しい国の形をつくっていってほしいと願っている。

日本の難民認定について

移民に関連して、私が疑問に感じているのは、近年指摘されている日本の難民認定率の低さである。コロナ禍がようやく収束し、大量の外国人観光客が日本を訪れ、前述のように三〇〇万人近い外国人が就業その他の目的を持って日本に滞在しているため、日本は基本的に外国人を歓迎しているように思える。

［図表1-18］各国の難民認定

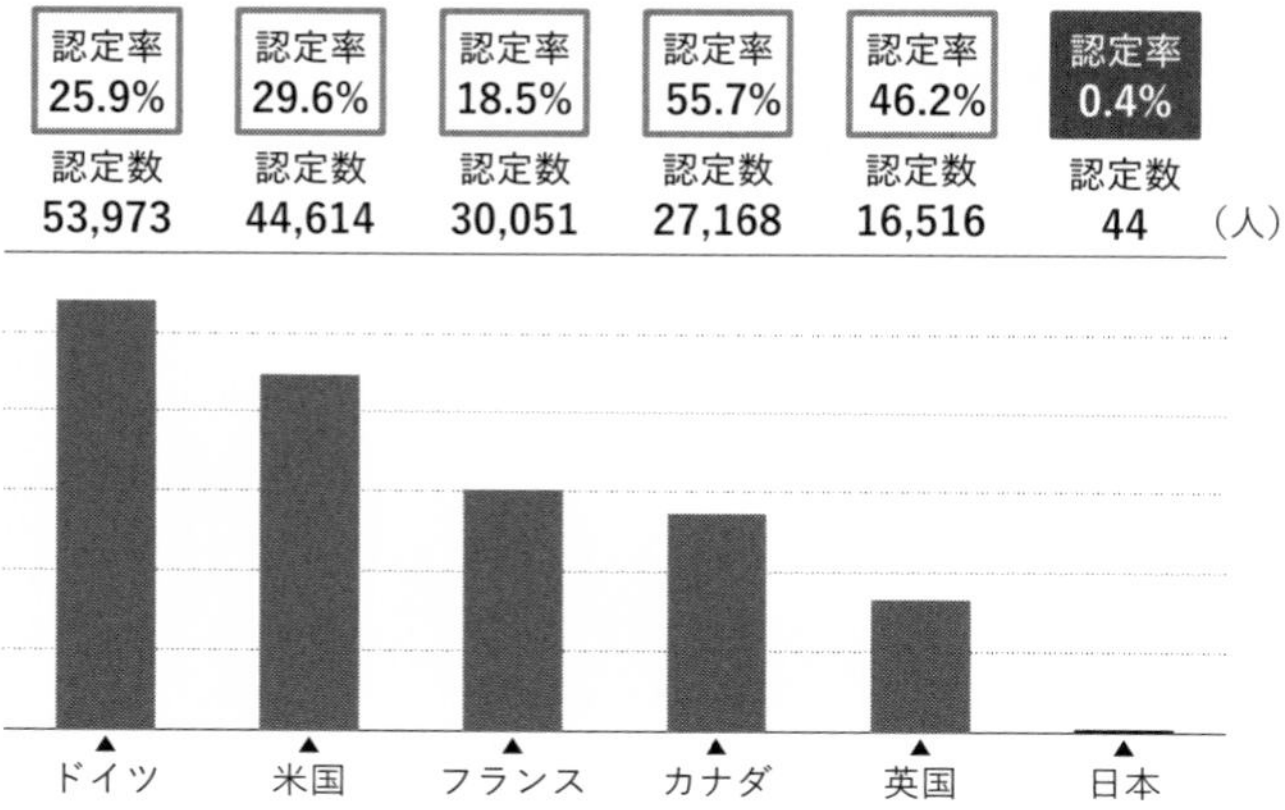

出典　NPO法人難民支援協会

ところがその一方で、難民の認定率に関しては、他の先進国とは比較にならないほど低い（図表１－18）。もちろん、難民を装ったテロリストや、日本に来て日本のルールを守ろうとしない人に関しては、入国・在留を認めるわけにはいかない。ごく一部ではあるが、他人名義の旅券で「不法入国」する者や、許可された在留期間を超えて「不法残留」する者や、許可されていないのに「不法就労」する者や、犯罪を行って実刑判決を受け、服役するような外国人もいる。そのような外国人は、日本の治安維持のためにも強制的に退去させなければならない。

また、退去すべきことが確定した外国人がこれを拒み、「難民認定申請」を濫用するケースもある。さらにそうした人たちが収容施設から仮放免された際、逃亡する事案も多数報告されている。二〇二二年十二月末時点で一四一〇人が逃亡していることが、出入国在留管理庁のホームページで公表されており、難民問題の対応の難しさが浮かび上がってくる。

認定数の多いドイツですら四人に一人、フランスでは五人に一人未満という認定率であることから、相当な数の偽装難民が訪れ、何らかの不正を行おうとしている可能性もある。

当然、そうした不届き者については厳正に対応していかなければならないが、日本国として保護すべき難民に関しては、正しく認定したうえで、十分なサポートをしていくべきではないだろうか。アフリカから距離が近く、地中海を粗末なボートで渡ったり、あるいは中東から陸続きで徒歩で移動したりできるヨーロッパと、そうした地域から遠く離れた極東の日本とでは事情が違う面もあるが、いずれにしても認定率〇・四パーセントはあまりにも低いといわなければならないだろう。

国外退去を避けるために、難民とはいえない者が行っている不正な難民認定申請の数を差し引いたとしても、認定率が欧米並みに上がることは考えにくい。法整備も含めて受け入れ態勢を整え、救済の手を差し伸べることも、先進国の義務として十分果たしていってもらいたいものだ。

「高度外国人材」に期待

前述の通り、在留外国人の数は約三〇〇万人に達しており、すでに日本で活躍してくれている人もたくさんいる。在留資格のうち、「教授」「高度専門職」「経営・管理」「法律・会計業務」「医療」「研究」「技術・人文知識・国際業務」にあてはまる人を「高度外国人材」と定義づけ、そうした人たちが二〇一六年から二〇二一年までの五年間でどれだけ増えているかを、二〇二三年五月十三日付の「日本経済新聞」が紹介している。

まず高度外国人材は五年間で着実に増え続けており、二〇一九年には全国で三〇万人を突破している。つまり在留外国人の約一割が高度外国人材というわけだ。おそらくコロナ禍の影響で、二〇二一年には少し減少したが、今後はさらに伸びていくことが期待される。

高度外国人材のうち、「技術・人文知識・国際業務」が八三・八パーセントを占め、「経営・管理」が八・三パーセント、「高度専門職」が四・八パーセント、「教授」が二パーセントと続く。こうした優れた外国人が日本を訪れ、力を発揮してくれていると思うと、未来への希望が見えてくるような気がする。

五年間の増加ペースは、全国では約一・七倍と倍増に近い勢いだ。都道府県別に見ると、滋賀県の四・九倍が突出しており、同県のさまざまな企業で高度外国人材が採用されている。この記事によれば、滋賀県日野町で放送・医療機器などを加工する日野精機という会社では、社員の約半数の一四人がベトナム人のエンジニアなのだそうだ。そのベトナム人の工夫によって作業効率が大きく伸びたこともあり、日本人社員にとってもいい刺激になっているとのこと。私が想像している通り、外国人が日本に来て働いてくれることで、われわれ日本人の成長にもつながっているわけだ。

この記事を見て、サッカー・Jリーグの草創期に、ジーコやストイコビッチといった世界のスーパースターが日本のチームに入団し、日本サッカー界の実力を大いに底上げしてくれたことを思い出した。ラグビーしかり、角界しかり、バスケットボールしかり、外国人を交えて切磋琢磨することにより、競技全体が大きな進歩を遂げている。その意味で、スポーツ界が日本の将来の方向性を暗示していたともいえよう。

こうした傾向は今後さらに強まっていくであろうし、あらゆる分野でもっとたくさんの高度外国人材に来てもらえるように、企業側も政府も努力するべきではないだろうか。そのため一つには、外国企業に比べて日本企業の給料が安いことによる「雇い負け」を克服しなければいけない。

確かに課題も多い。しかし、人口減少にまつわる暗いニュースが多い中、この調査は明るい希望を感じさせてくれる。

「時代は変わった」と実感させられる若者の活躍

昔から年寄りは未熟な若者を見て、「最近の若い者はなっていない。俺たちが若い頃は云々」などとぼやいていたものである。しかし、令和の世の中で大活躍する「最近の若者」を見ていると、令和の年寄りはとてもそんな口が利けないように思う。

例えば二〇二三年に開かれた「ワールド・ベースボール・クラシック（WBC）」という野球の世界大会で、日本代表チームを世界一にした立役者であり、大リーグでも投手と打者の「二刀流」で大活躍中の大谷翔平選手がいる。彼などは、これまでの日本人の常識とはかけ離れた優秀な人材といえよう。

身長一九三センチと、大男ばかりの大リーガーの中でもひときわ大きく、「打つ、投げる、走る」というすべての能力が世界のトップレベルだ。しかもそれだけでなく、高い目標を掲げて努力を続ける姿勢、謙虚さ、相手チームやファンへのリスペクトなど、人格的にも非常に優れており、おまけに読書家でもあるとのことである。まさに「新しい日本人」が誕生したのを実感する。

また、二十歳にして竜王・王位・叡王・棋王・王将・棋聖・名人の七冠を達成した藤井聡太棋士も、大谷選手と並び称される若き天才である。ＡＩ技術を駆使し、勝率八割を超えるなど、従来の日本人の頭脳とは違う次元に到達しているのを感じる。

このような優れた若者が多く誕生し、世界をリードする存在となれば、たとえ多くの外国人が訪れようとも、日本の主導権が奪われることはないはずだ。そしていつの日か、「ジャパン・アズ・ナンバーワン」と再び呼ばれる時代がやってくることを信じている。

第2のリスク　社会制度の変革

新しい日本をつくるために

移民を促進し、日本人と外国人が半数ずつとなる新しい社会をつくっていくために、社会制度をどのように変革していけばいいのかについて、私論を述べていきたい。今後ますます増加していく外国人をスムーズに受け入れ、「善良な日本人」として社会の諸制度に組み込んでいくための、いわば二十一世紀版「日本列島改造論」である。

具体的には、まず現行の出入国管理法の抜本的な改正から始まり、住居、生活、就業、地域への溶け込みなどを一貫して行う体制を構築していくことになるだろう。現在、過疎に悩む地方公共団体が行っている、都会からの移住を促進する取り組みの海外版ともいえる。当然ながら、そのノウハウも活用・応用していくべきだ。

日本の人口が激減してしまわないうちに、これから数十年以内におよそ四〇〇〇万人の外国人を「新国民」として受け入れる必要があると個人的には考えている。そのためには、まずはこれに対応していくための「移民局」を外務省に新設することを提案する。

さらに教育制度の改革によって全国民の「バイリンガル化」を推進し、英語を第二国語化、第二公用語化していくことも重要だ。外国人が増えても、これまで通りの「安全」と「清潔」を保つための諸制度も準備しなければならない。そうして従来の日本人も日本に来た外国人も、どちらも住みやすい日本になるように、社会制度を変えていく必要がある。もちろん、改革には日本の「おもてなしの精神」が発露されることだろう。

和を以て貴しとなす

大量の外国人を受け入れるためには、まず日本人の間でコンセンサスを取る必要があるだろう。外国人は、人口の激減で消滅に向かっている日本を救う存在であることを、国民全体が理解しておかなければ、至るところで軋轢が生じかねない。

日本の歴史をたどると、例えば友好国であった百済《くだら》を助けるために戦った、六六三年の白村江《はくすきのえ》の戦いで敗れたあと、百済から日本に亡命してきた渡来人たちは、さまざまな文化や技術を日本に伝えた。あるいは遣隋使や遣唐使が大陸に渡り、隋や唐などの外国からさまざまなものを取り入れ、日本が大いに発展してきたのは間違いない。それが長い年月をかけて日本の文化文明と融合し、熟成されていったのだ。

明治維新の際に発布された「五箇条の御誓文」に、「智識を世界に求め大《おおい》に皇基を振起すべし」と書かれているように、明治の日本は海外から技術、軍事、学問、医学、科学、哲学、芸術などあらゆるものを輸入することによって急速に発展し、そのおかげで他のアジア諸国のように欧米の植民地になることを免れることができた。明治時代に『西国立志編』のタイトルで邦訳出版された、サミュエル・スマイルズの『自助論』は、一〇〇万部以上を売り上げるベストセラーとなり、当時の日本の人たちの精神的バックボーンになったといわれる。戦後、GHQの影響下において制定された日本国憲法によって、その後の国のあり方が変わったのもある意味、外国によってもたらされた歴史といっても過言ではない。

このような背景を考えれば、この先数十年の間に急速に縮小していく日本を救うのは、外国人だと考えても不思議ではない。そもそも聖徳太子が制定した十七条憲法の冒頭に記されている「和を以て貴しとなす」という言葉は、日本人の精神の基礎、根本原理ともいえる。今こそこの精神を発揮し、この先大量に移民してくる外国人との和を形成できるよう努めていくべきではないのだろうか。

この「令和維新」ともいうべき新しい社会をつくっていくにあたり、先ほど述べたように外務省に「移民局」を設置するとともに、「社会制度を見直す国民的プロジェクト」を立ち上げてみてはいかがだろう。有識者に集まっていただき、多くの外国人が日本に溶け込み、トラブルなく生活し、教育を受け、仕事ができるようにしていくために、何が必要かを考え、課題を一つひとつ解決していくのである。そうした取り組みが、私の考える外国人四〇〇〇万人の受け入れを実現していくものと考える。

生産性の向上が急務

日本のＧＤＰはアメリカ、中国に次いで世界第三位を維持している。ところが、図表２－１の「就業者一人あたりの労働生産性」のグラフを見ていただければおわかりのように、日本の労働効率は、ＯＥＣＤ加盟諸国の中では、著しく低いといわざるを得ない。

これはすなわち、日本の労働者は長時間一生懸命働いている割には、あまり生産性が上がっているとはいえない状態だということだ。労働生産性が悪いにもかかわらず、ＧＤＰで世界第三位の位置にいるということは、日本人一人ひとりが身を粉にして必死で働いている証拠ともいえる。日本人の「勤勉さ」が数字に表れた格好だ。

しかし、これから多くの外国人に来てもらうためには、いい換えれば「諸外国の企業に雇い負けしない」ためには、もっともっと効率よく儲けられるようにしていかなければならない。ただでさえ外国企業よりも給料が安いのに、効率の悪い働き方を長時間させられれ

［図表 2-1］OECD 加盟諸国の労働生産性
（2021年・就業者１人あたり／ 38カ国比較）

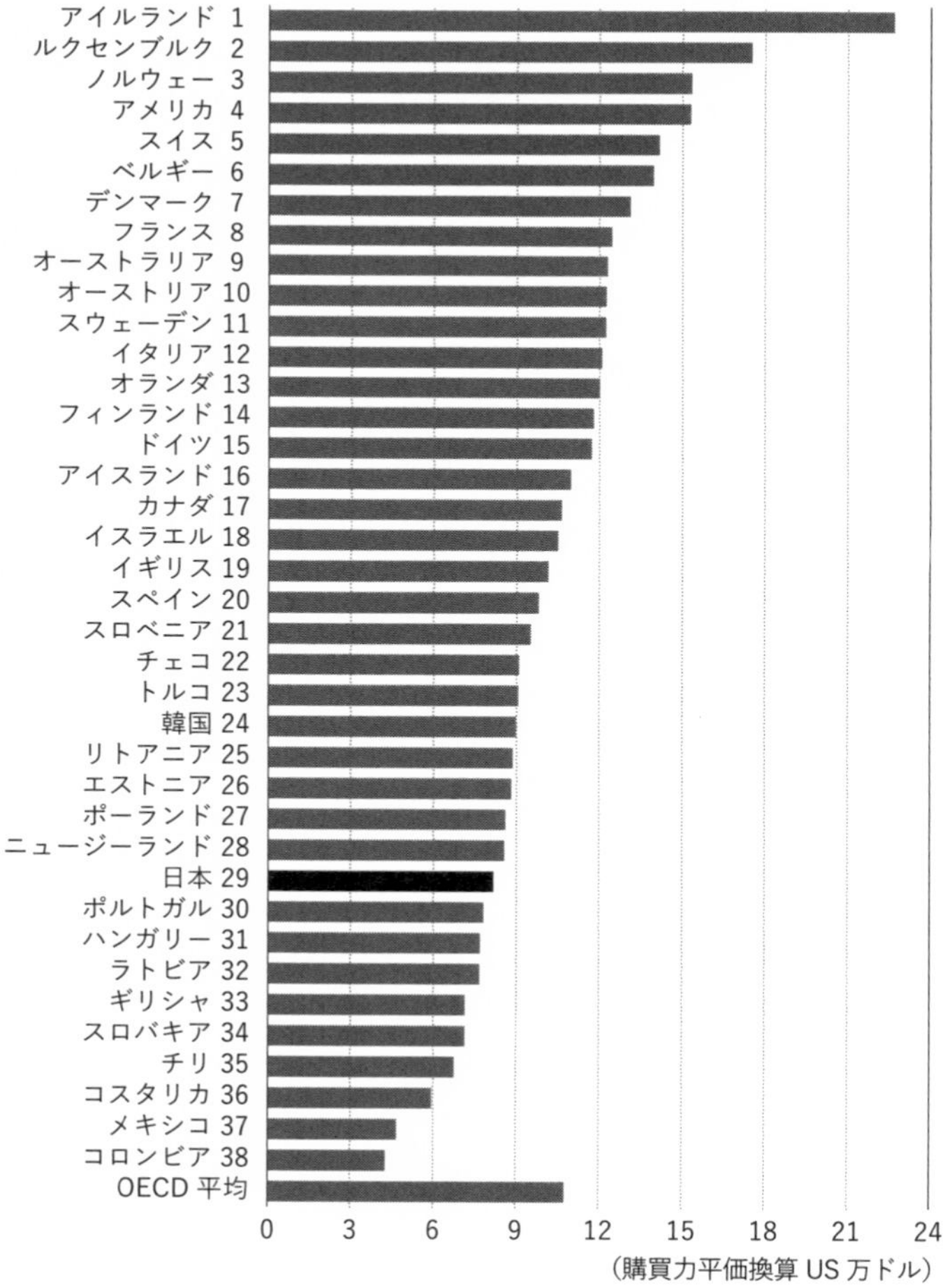

出典　日本生産性本部「労働生産性の国際比較 2022」

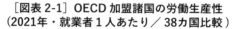

るようでは、外国人が日本に定着するのは難しいだろう。官民ともに、これまでの習慣や常識にとらわれてはいけない。例えば、四月一日新卒大学生の一斉入社、会社が最後まで手厚く守る雇用定年制など、労働慣行も一考の余地はある。

今こそあらゆる改革を断行して、生産性の向上を図っていくべきではないだろうか。

英語を「第二国語」「第二公用語」とする

さまざまな価値観や背景を持つ多くの外国人と共存していくためには、互いに意思の疎通ができるようにしていかなければならない。「話せば理解できる」ことが、「話せないことで理解できない」ようでは、いつまで経っても「和」のある社会をつくることはできない。

近年はスマートフォンの「翻訳アプリ」も非常に発達しており、そうしたツールを使えば、外国人同士のやりとりがかなりしやすくなっているようだ。そうしたものを適宜活用しながらも、それだけではなく、やはりお互いに目と目を見ながら、共通の言語で会話ができるようにしていくことが、心と心を通わせる最良の方法ではないだろうか。

日本では昔から英語教育が行われてきた割に、「英会話」ができない人の割合が高い。かくいう私も仕事でアメリカに赴任し、何が何でも英語を覚えなければいけない状況になるまで、英会話を習得することはできなかった。

この先多くの外国人との共生を図っていくためにも、教育制度を抜本的に見直すとともに、先にも述べたように英語を「第二国語」「第二公用語」に定めて、国民全員がバイリンガルになれるよう国を挙げて取り組んでいくべきだと考える。すべての外国人が英語を話せるわけではないが、少なくともわれわれが英語をマスターしておけば、世界のかなりの人々と会話ができるようになる。

会話ができるようになれば、お互いにわかり合えるようになり、誤解が減り、トラブルも少なくしていけるだろう。もちろん仕事の効率も高まるし、あらゆる業界で世界を相手にビジネスを展開できる可能性も広がっていくはずだ。当然、行政の種々の手続き等も英語化していくことが望ましい。

デジタル化で後れをとってはならない

行政という意味では、国際的にも立ち後れている日本の行政の「ＩＴ化」も推進しなければならない。二〇二三年現在、「マイナンバーカード」が普及しつつあるが、まだまだ利便性に乏しい印象だ。二〇二二年の「世界デジタル競争力ランキング」（図表２－２）において、日本は二〇二二年時点で二九位と後れをとっている。世界のＩＴ化の進歩にし

［図表 2-2］世界デジタル競争力ランキング

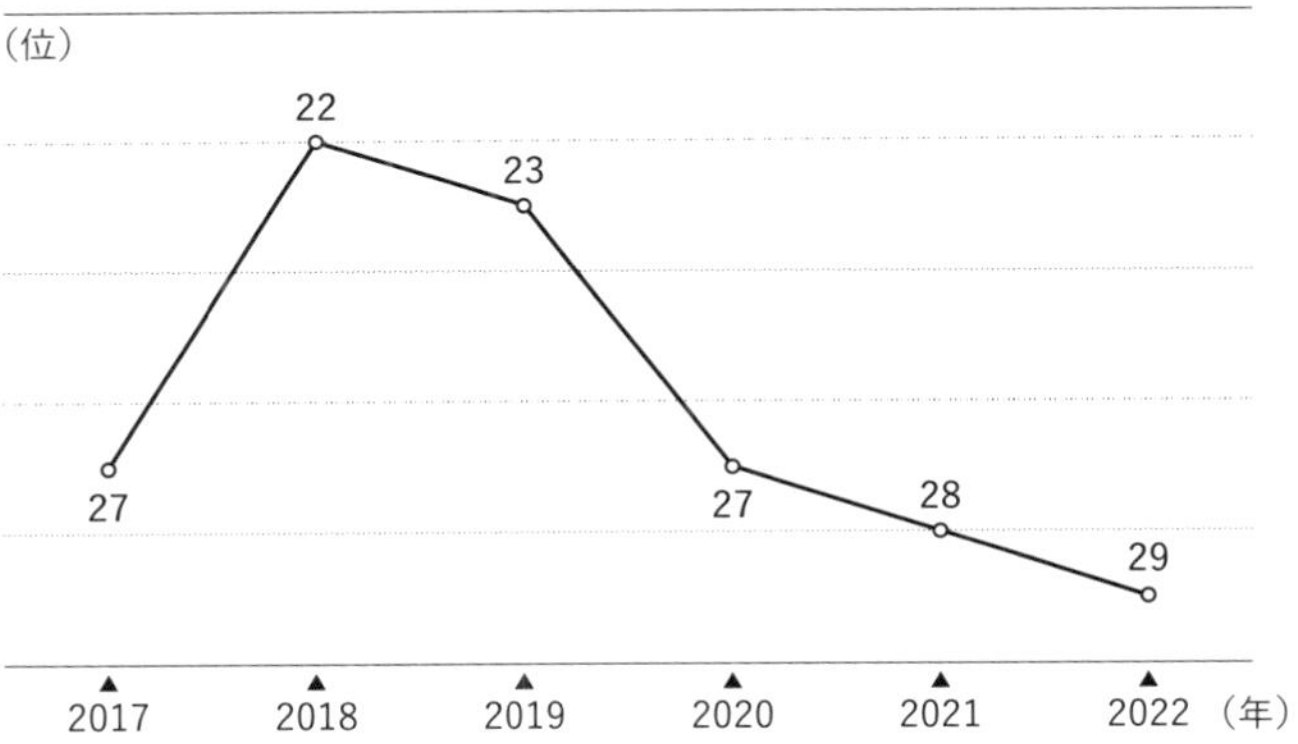

（63カ国中）

出典　IMD World Digital Competitiveness Ranking 2022

っかりとついていくだけでなく、リードしていける存在にならなければ、なかなか日本の魅力を伝えるのは難しいのではないだろうか。

外国人とうまく同化してきた歴史がある

ＩＴ化のさらなる推進はもちろんであるが、外国人がこれまで以上に多数流入することは、もはや後戻りできない。

移民の受け入れを進めた国、例えばイギリスやドイツにおいて、自国民との様々な軋轢が起こり、社会問題になっていることが報道されている。宗教、生活習慣、言語、教育などの面は、極めてセンシティブな問題であり、明確な対応策が示しにくい。解決には、さらなる知恵と努力が必要だろう。外国人の流入が、日本の治安悪化に繋がるのではないかという懸念を抱いてしまうのはやむを得ないことである。

しかし、日本の長い歴史を遡《さかのぼ》ってみれば、大陸から多数の渡来人が渡ってきた折りも、日本人とうまく同化してきた事実がある。地域の発展に寄与した渡来人を祀り、神社まで建立したのは他でもない日本人であった。このことに思いをいたすことも大切ではないだろうか。

減塩政策で多民族全体の健康を図る

日本に多様な民族が集まるということは、食生活もこれまで以上に多様になるということだ。だからといって、何でもかんでも食べたいように食べていたら、いつしか健康を害することにもなりかねない。特に「塩分の摂取」に関して、イギリスが画期的な取り組みを行い、大きな成果が出たことが世界で注目された。イギリスでは、二〇〇三年から産官学一体となって「減塩キャンペーン」が強力に推進された結果、二〇一一年には国民全体の一日あたり塩分摂取量が、九・五グラムから八・一グラムに減少したのである。

わずか一・四グラムとはいえ、その効果には絶大なものがあった。イギリス人全体の平均血圧が下がるとともに、高血圧によって引き起こされる心筋梗塞や脳卒中などの死亡率

［図表 2-3］日本の慢性透析患者数の推移

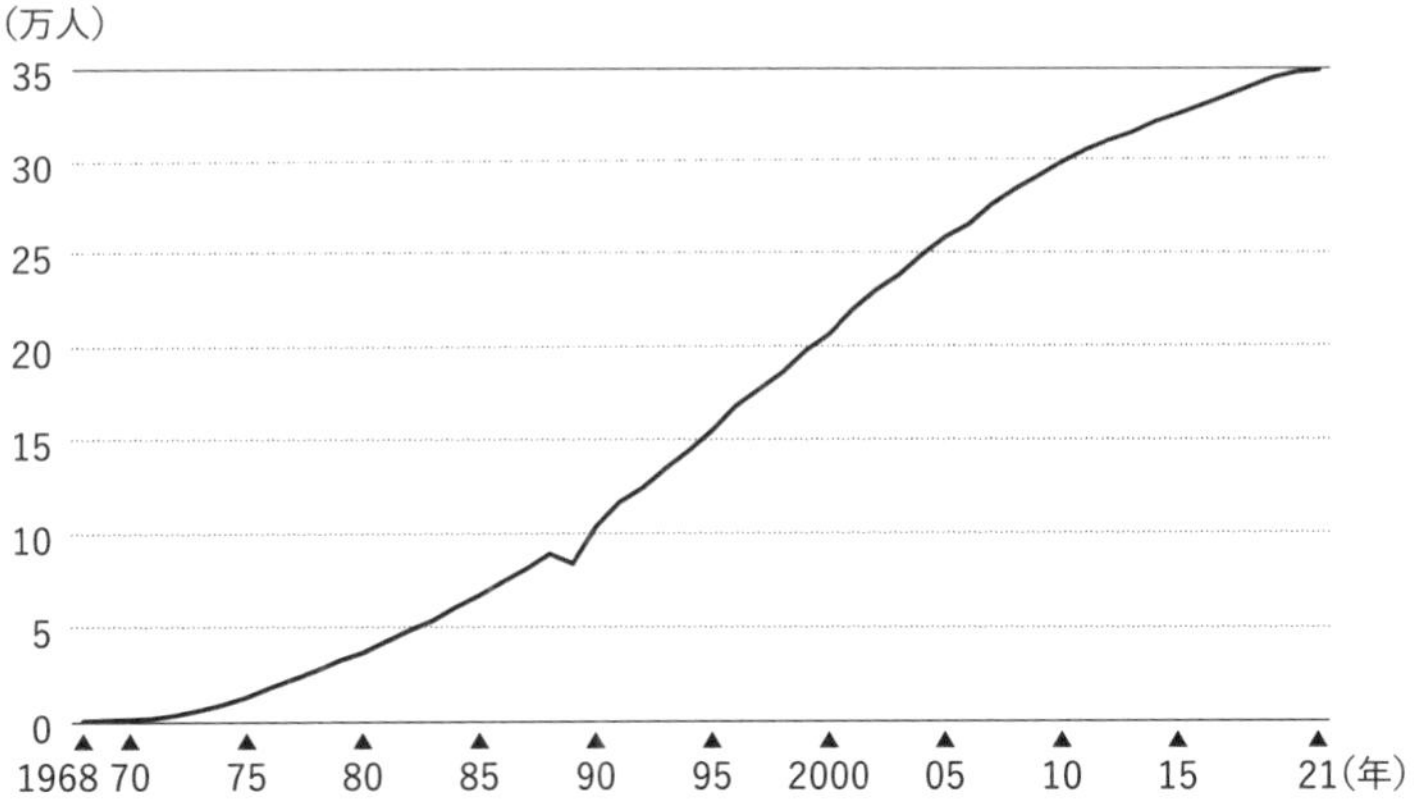

出典　日本透析医学会　統計調査委員会資料

が、約四〇パーセントも減少していたのである。

私自身、透析患者であることから日々痛感しているのが、外食時の塩分の濃さである。家庭で食べるものの塩分は、調理の仕方である程度コントロールできるが、外食は出されたものを食べるしかない。多様な民族がみな健康で暮らせるように、食品産業、外食産業も巻き込んで、イギリスのような減塩運動を展開することも、今後は重要になってくると思う。

毎月何十万円もかかる透析治療の費用には、医療費の公的助成制度が設けられている。図表2－3を見てもおわかりいただけるように、透析治療を行っている人の数は年々増え続けているのが現状だ。食塩の過剰摂取が腎臓病の原因になることを考えれば、国を挙げて減塩活動を行うことで、そうした病気も減らせるようになり、助成にかかる費用も抑えられるようになる。そのような意味でも「減塩」はぜひ推進していかなければならないと考えている。

フードロスと食料安全保障

食品・食料に関する昨今の話題としては、ロシアのウクライナ侵攻をきっかけに小麦が高騰するなど、「食料安全保障」という観点がクローズアップされるようになった。これも、フードロスの低減にもっと力を入れるなどして、捨てられる食品を極力減らしていく取り組みが必要だ。

昔はどこの家でも「ご飯を残すと目がつぶれる」などといわれて厳しく躾《しつ》けられたものだが、今やそんな教育もなくなり、すっかり贅沢が身についてしまった。満足に食べられない人がいる発展途上国がある一方で、先進国では食べられるものを捨ててしまう実態は、道徳的にも大きな問題があるだろう。食料安全保障の問題が出てきたことを機に、われわれの日々の生活も見直すべきときが来たのかもしれない。

第3のリスク　国債のデフォルト

「国債」とは何か

国債の問題について考えてみよう。国債とは、「国が発行する債券」のことである。債券とは、お金を借り入れるときに発行される有価証券のことだ。これには借用証書の意味もある。要するに、「日本国の借用証書」といってもいい。大まかにいえば、国の支出が税金だけでまかなえないとき、国は国債を発行して投資家に出資をしてもらっているわけだ。借金である限り、国家は満期がきたら利子をつけて返さなければならない。つまり「国が借り主」で「投資家が貸し主」という関係性だ。

国債を直接買っていない人からすると、投資家とはどこかのお金持ちのように感じるかもしれない。ところが、実は多くの国民がお金を預けている銀行は、その預金を使って国債を購入している。その意味で、大多数の国民が「間接的に国債を買っている」ということができる。いわば国民は国に対する「間接的な貸し主」というわけだ。

［図表 3-1］日本の政府債務残高の推移

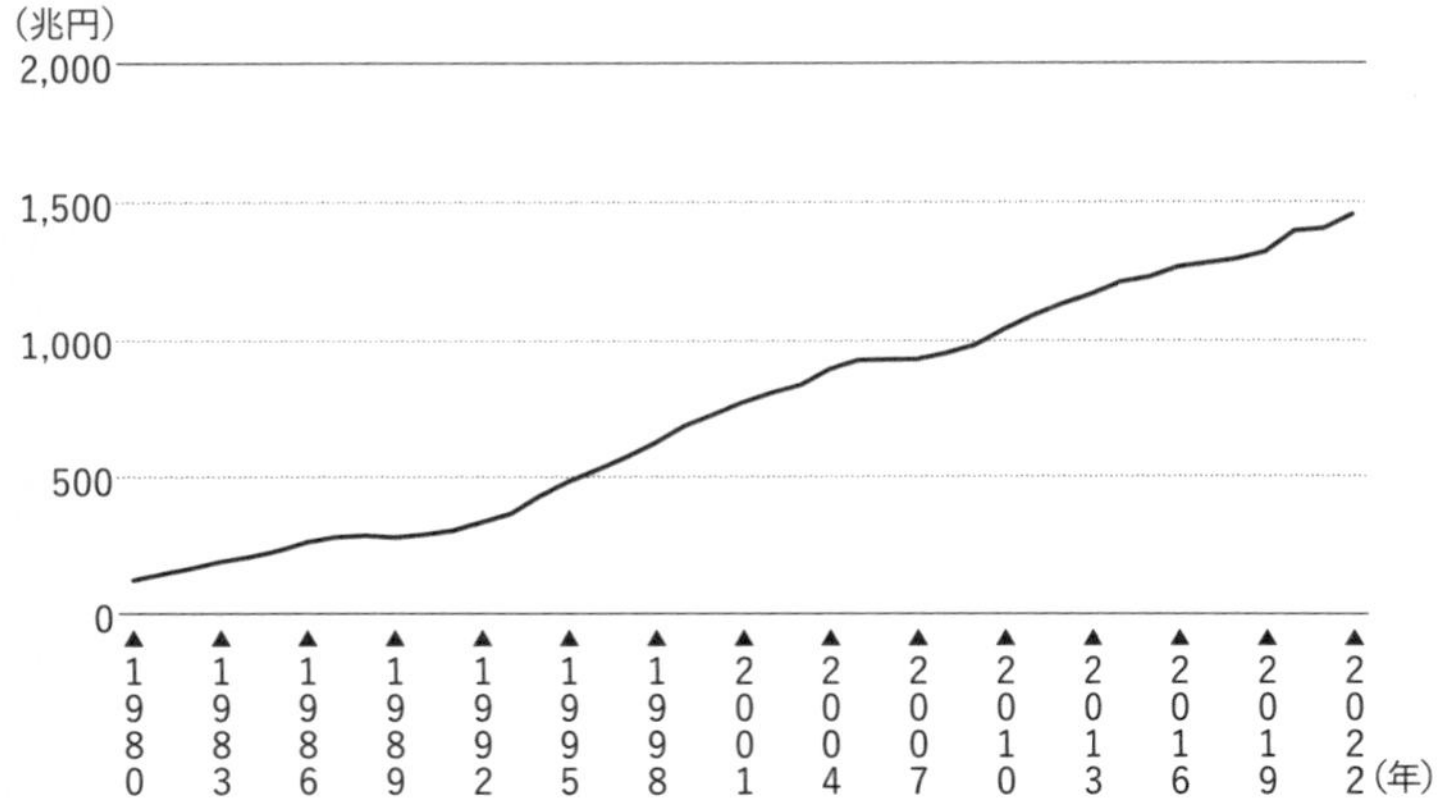

出典　財務省

国の借金である国債を含む政府の債務残高は、年を追うごとに増え、二〇二二年には、およそ一四五五兆円となっている（図表3-1）。これに対して日本の二〇二二年の名目GDPはおよそ五五七兆円だったので、その二倍以上の借金があるということになる。これは確かにたいへんな数字だといえる。

その一方で、「貸し主」である日本国民が保有している「家計の金融資産」は、二〇二二年三月十七日付の「日本経済新聞」の記事によると、二〇二一年末に二〇〇〇兆円を超えたとのことだ。かなり荒っぽいいい方をすると、国民が持っているお金が、国民が国に貸しているお金（国債）の倍近くあるということになる。

また、政府はただ借金を抱えているだけで

なく、資産も約六三〇兆円保有しているといわれている。家庭にたとえれば、住宅ローンも抱えているけれど、その一方で貯金もそれなりにある、ということだ。見方・評価は識者によってさまざまだが、ここまで聞くと、まだまだ日本には余裕があるように思われるかもしれない。

借金返済のために借金を重ねている

ところが事態はそう簡単ではない。私が懸念しているのは、歴代の首相が、膨らみ続ける国債の償還を真面目に考えているのかどうか、ということである。これまでの経緯を見ていると、票稼ぎのバラマキ政策の財源として、国債などいくらでも発行できると思っているのではないかと感じることがある。特に危険を感じるのは、償還財源を新規の国債発行でまかなっていることだ。要するに「借金を返すために新たに借金を繰り返している」ようなものである。これではいっこうに借金は減っていかない。膨らみ続ける借金は、いずれ必ず返済しなければならず、結局は将来世代の負担となってしまう。

ではなぜこんなに「借り」続けているのかといえば、歳入と歳出のバランス、つまりプライマリーバランスが取れていないからだ。要は「ない袖を振る」ためにお金を借り続けている。現在、国の歳出に占める歳入の割合は三分の二程度で、残りの三分の一は借金に依存している。今後さらに国の借金が膨れ上がっていくと、いつの日か日本政府は破綻の危機を迎える可能性もある。国が債務を一部しか返済できない「デフォルト」が起きるわけだ。

借金を減らすことを真剣に考えよ

日本はこれからまだまだお金がかかる。例えば今後予想される南海トラフ巨大地震の事前対策や、不幸にも発生した場合の事後対策に、巨額の資金が必要となるのは間違いない。あるいは海面の上昇による国土減少のための対策にも、たいへんなお金がかかるだろう。一九六四年の東京オリンピックに向けて整備された首都圏のインフラをはじめ、全国のさまざまな施設の老朽化が進むため、そのリニューアルにも相当な予算を見込んでおかなければならない。

本当にお金が必要となるときに、ギリギリまで借金が膨らんでしまっていたとしたら、日本の国はいったいどうなってしまうのか。仮に政府が破綻してしまうと、国中のインフラが荒れ放題でまともに生活ができず、社会の治安も維持できず、災害の復旧もままならず、国民の安心・安全を守り続けることも困難になるかもしれない。そんなことにならないように、もうそろそろいい加減に、まずは借金を増やさないことから始めて、償還の計画も真剣に議論されるべきではないだろうか。でなければ日本の将来は非常に危うい。

プライマリーバランスを実現させ、国債を減らしていくためには、確固たる意志が必要である。まずは国民一人ひとりがこれを自覚するところから始めなくてはなるまい。さらには政治家も重要性を認識し、毅然として方針を表明する必要がある。マスコミも、事実に基づいて正確な情報を国民に届けていただきたい。

また日銀の国債買い入れの総額に対しても、国民は注視していかなければならない。デフレ脱却のために、日銀は金融機関から国債を買い上げることで、市場の通貨量を増やすオペレーションを行ってきた。今後デフレが止まってインフレになると、今度は貨幣価値が下がらないように、日銀は国債を売って市場の通貨量を減らすことになる。こうなると、民間が保有する国債を返済するために、今度は税負担が生じることになるからだ。

血税の無駄遣いを止めよ

国のお金の仕組みや流れは複雑で、さまざまな専門家がさまざまな見方を示しているため、なかなか一般の人間にはわかりにくいのが正直なところだ。高度経済成長期には、今と違って企業がたくさん利益をあげていて、税金が歳出以上に集まり過ぎるため、むしろ集めるのを抑制しなければいけなかったという。

昨今にしても、借金をしなければいけない状態のように見えるが、実際には政府はたいへんな無駄遣いをしているという見方もある。あえて政府がやる必要のない「不要不急の事業」に莫大なお金が注ぎ込まれ、国民の血税がほとんどドブに捨てられているようなケースも多々見受けられる。またそこには利権構造も見え隠れする。

ということは、誰かが大ナタを振るって歳出を削ることも考えなければいけない。無駄な歳出が減れば、それだけプライマリーバランスの実現に近づく。とにかく政府はできることはすべてやって、絶対にデフォルトにならないよう取り組んでもらいたい。

第４のリスク　南海トラフ地震

地震大国ニッポン

誰もが知っているように、日本は地震大国である。ここ数十年の間にも、阪神・淡路大震災や東日本大震災などが発生し、多くの方々が亡くなった。

歴史をさかのぼれば、津波の堆積物などの調査により、八千年くらい前から巨大地震が何度も何度も発生したことが推定されている。その中には、ここで取り上げる「南海トラフ地震」があった可能性もあるそうだ。

文字の記録に現れるのは、西暦四一六年の允恭《いんぎょう》地震が最初で、これは『日本書紀』に記されている。その後も六八四年に起きた白鳳《はくほう》地震、八六九年の貞観《じょうがん》地震、一七〇七年の宝永地震などをはじめ、大きな被害をもたらした大地震は数限りなく発生している。地震大国日本の宿命ともいえるだろう。

［図表4-1］南海トラフで起きた地震

発生年	南海トラフで起きた地震名	前回の地震との間隔(年)
416	允恭地震	
684	白鳳(天武)地震	213
887	仁和地震	203
1096	永長東海地震	209
1099	康和南海地震	3
1361	正平(康安)東海地震	262
1361	正平(康安)南海地震	0
1498	明応地震	137
1605	慶長地震	107
1707	宝永地震	102
1854	安政東海地震	147
1854	安政南海地震	0
1944	昭和東南海地震	90
1946	昭和南海地震	2

出典　NHK　災害列島　命を守る情報サイト他

南海トラフ地震とは

「南海トラフ地震」とは、気象庁の説明によれば、駿河湾から日向灘沖にかけて続いている、陸側のユーラシアプレートと海側のフィリピン海プレートが接する水深四〇〇〇メートルのプレート境界を震源域として起きる地震のことだ。フィリピン海プレートは、ユーラシアプレートの下に、一年に数センチずつ沈み込んでおり、引きずり込まれた陸側のプレートが耐え切れなくなって跳ね上がることで、巨大な地震と津波が発生する。

具体的には、ユーラシアプレートとフィリピン海プレートが接するラインには溝状の地形が形成されており、この区域のことを「南海トラフ」と呼んでいる。

南海トラフ地震は、およそ百～百五十年間隔で繰り返し発生している。前回の南海トラフ地震は、一九四四年に発生した「昭和東南海地震」と、その二年後の一九四六年に発生した「昭和南海地震」である。南海トラフで起きた、記録に残る地震を表に掲示したのでご覧いただきたい（図表4－1）。

実は南海トラフ地震が起きると、隣接地域でも地震が続発することが多い。ただし時間の間隔はまちまちで、昭和東南海地震と昭和南海地震との間は二年も空いているが、一八五四年の安政東海地震の際には、三十二時間後に安政南海地震が起きている。間隔はまちまちでも、南海トラフ地震は一回で終わるのではなく、すぐ近くで二回目も起きると考えておかなければいけない。

「次」は必ず訪れる

前回の南海トラフ地震が一九四四年ということは、それからすでに約八十年が経過しており、当然「次」への警戒と準備を怠ってはならない。政府の地震調査委員会は、今後三十年以内に、マグニチュード8から9の巨大地震が七〇～八〇パーセントの確率で発生すると予測している。想定される被害の範囲は、東海地方、近畿地方、四国など非常に広い。

地震と同時に恐ろしいのが津波による被害だ。南海トラフで巨大地震が起きた場合、広い範囲で激しく揺れるだけでなく、沿岸部に巨大な津波が襲ってくるのは間違いない。場所によっては最大で高さ三〇メートルの津波が来る可能性もあるそうだ。また最悪の場合、関東から九州にかけて三二万人以上が死亡し、揺れ・火災・津波などで二三八万棟の建物が倒壊・焼失するという推計がある。経済的被害は最大で総額二二〇兆円にも上るという。

もちろんこれは最悪のケースの予想だが、備えは最悪を想定して行っておかなければ、事態に十分対処することはできない。「来る、来る」といわれながら、いつ起きるのかわからないのが地震だが、はっきりとした時期はわからなくても、南海トラフ地震は近い将来必ず起きるという前提で対策を練るべきである。

「教訓」を忘れてはならない

当然誰もが考えていることだとは思うが、二〇一一年三月に発生した東日本大震災の教訓はしっかりと生かさなければならない。津波による電源喪失によって事故が起きた福島第一原子力発電所は、廃炉までまだまだ何年もかかることだろう。原発事故のせいで故郷を捨てた人も多く、このような事故は二度と起こしてはならない。

その一方で、津波を想定して高台に建設し、防潮堤も準備していた女川《おながわ》原子力発電所のように、あの大地震に耐えた例もある。東日本大震災の状況を受けて、中部電力の浜岡原子力発電所なども、地震対策の強化を進めているとのことで、関係者の方々には最大限の準備をしていただくよう願うばかりである。

地震の予測精度の向上についても、専門家の方々に日々努力していただいていると思うが、そのためにも研究や準備の財源が十分確保されることを願っている。少しでも正確に予測ができれば、かなりの程度まで「減災」が可能なはずであり、最大二二〇兆円の被害が想定されていることを考えれば、何億円かかろうが安いものだといえる。

繰り返すが、南海トラフ地震は、およそ百年から百五十年の間隔で発生する。ということは、前回の発生時に生きていた人はほとんど全員が亡くなっている。つまり、当時の記憶や先人の教訓がどうしても失われやすいということだ。

先人の教訓という意味では、東日本大震災が起きた際、岩手県宮古市重茂姉吉《おもえあねよし》地区では、「ここより下に家を建てるな」と書かれた石碑の言葉を守っていた集落が、津波の被害を受けなかったことが話題になった。このような石碑は実は各地にあるらしく、こうした先人の警告を改めて見直すことも大事だろう。

とにかく巨大地震がたびたび襲ってくるのは、日本列島の宿命のようなものである。念には念を入れて、政府も、各自治体も、企業も、そして個人個人も、しっかりと準備を整えて暮らしたいものだ。

本稿を書いている間も、日本の各地で震度５程度の地震が発生しており、私自身、常に非常持ち出し袋を用意するとともに、すぐに火を消せるように日頃から気をつけている。

第5のリスク　第三次世界大戦

ロシアのウクライナ侵攻

二〇二二年二月二十四日、ロシアがウクライナ各地に砲撃や空襲を開始したことによって、隣国同士で戦争が始まってしまった。現在進行中の戦争であり、デマも含めた種々雑多な情報が世界中で大量に出回っているため、なぜこの戦争が起きたのかについての真相が明らかになるのは、まだ先のことかもしれない。

アメリカをはじめとする西側諸国は戦費や武器を提供する形でウクライナを支援しており、ロシア側はプーチンの盟友率いる民間軍事会社のワグネルの部隊が二万人戦死したことが伝えられ、あたかも西側とロシアの代理戦争のようにも見えたが、二〇二三年六月に「ワグネルの反乱」が起きたことにより、同年七月現在、ワグネルはウクライナで重要な役割を果たしていないともいわれている。

この戦争では無人機やドローンによる攻撃が行われ、また「ハイブリッド戦争」ともいわれるように、政治、経済、外交、プロパガンダ、サイバー攻撃など、ありとあらゆる方法を組み合わせて展開されている。ロシアは当初、数日でウクライナを制圧できると考えていたようだが、西側の支援もあってウクライナは必死に抵抗し続け、本章の執筆時点でまだ決着はついていない。そのため安易に結論を述べるわけにはいかないが、いつどんな形で戦争が終結するのか、注視していかなければならないと思っている。

今回改めて痛感したのが、拒否権を持つ国連の常任理事国（ロシア）が戦争を起こしてしまうと、国連はその役割を果たすことができず、事実上機能していないに等しいことだ。この戦争がこの先どうなるか予想がつかないにせよ、最悪の場合、第三次世界大戦に拡大する可能性もあるのではないだろうか。それも含めた準備・対策が各国でしっかりと行われ、戦火が広がらないように祈るばかりである。

二〇二三年一月の段階で、西側諸国のウクライナに対する支援額はおよそ二〇兆円で、その内訳は上位からアメリカが約半分の約一〇兆円、EUは約五兆円、となっている（図表5－1）。日本は一〇位で約一五〇〇億円である。

支援額のGDP比を見ると、また違った要素が見えてくる。なんとエストニア、ラトビア、リトアニアのバルト三国とポーランドが一位から四位を占めているのだ。それだけ国の経済規模に対して大きな金額の支援をしていることになる（図表5－2）。

［図表 5-1］ウクライナへの支援額

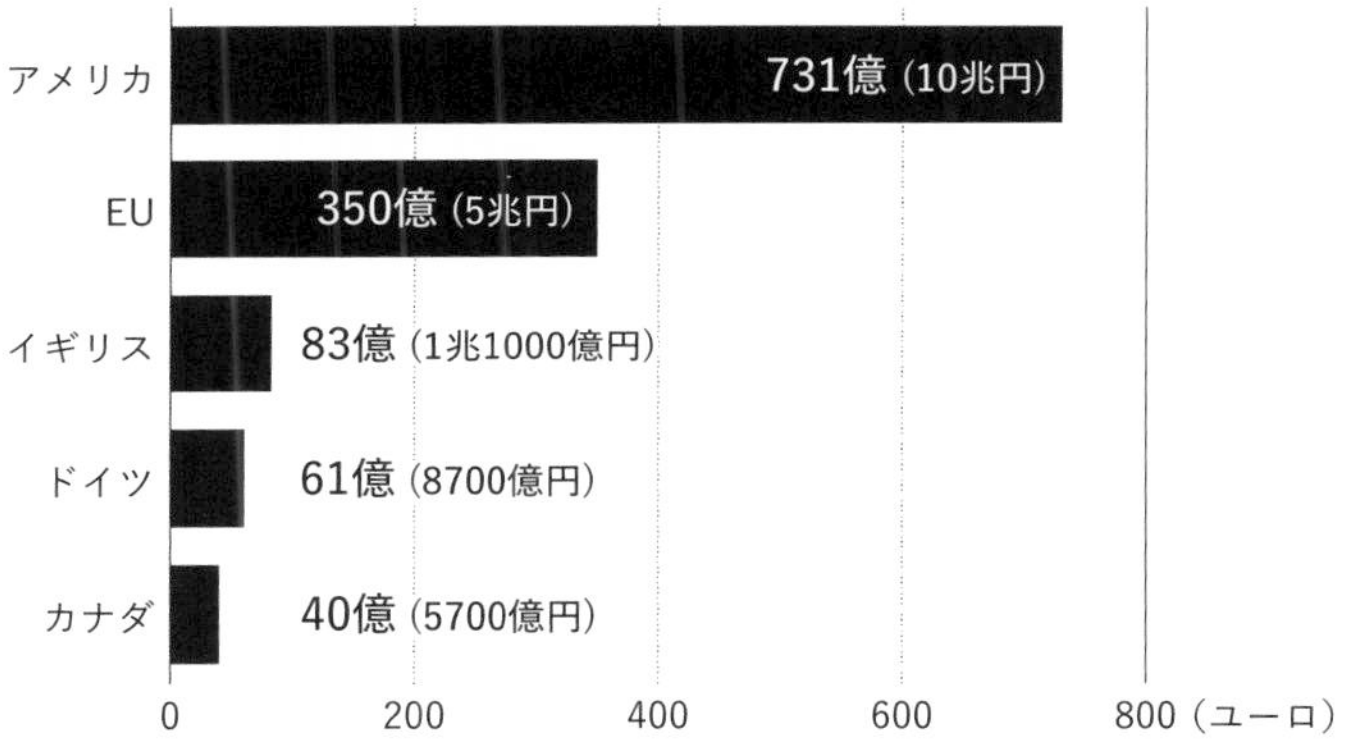

日本は 10.5 億ユーロで 10 位　　2022年 1 月〜2023年 1 月15日

出典　キール世界経済研究所、NHK

［図表 5-2］ウクライナへの支援額・GDP 比

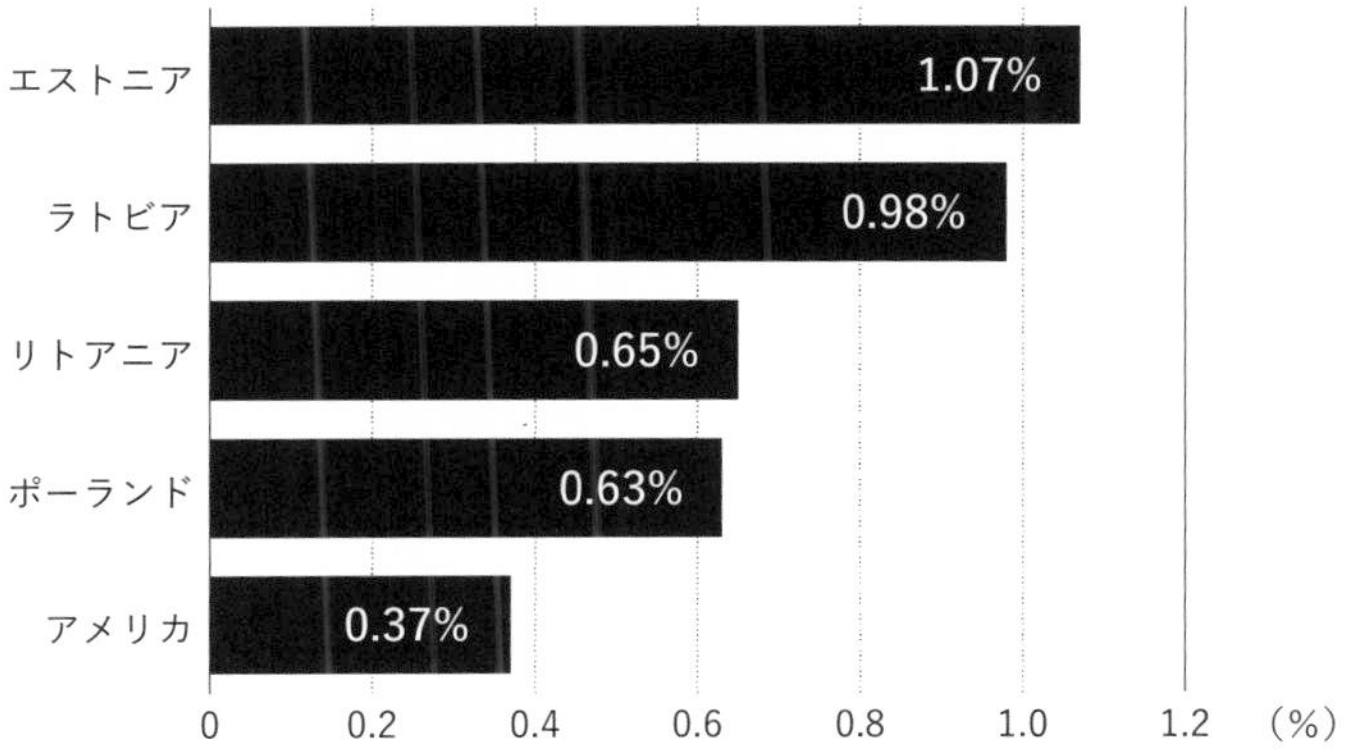

日本は 0.02%で 30 位　　2022年 1 月 ~2023年 1 月15日

出典　キール世界経済研究所、NHK

実は四カ国とも、かつてソ連より苛烈な支配・抑圧を受けた国であり、これは想像だが、ソ連の後継国であるロシアに対しても、今なお強い警戒感を持っていることの表れなのかもしれない。

中国、台湾、日本

日本にとって、今回の紛争は「対岸の火事」ではない。中国は恐ろしいスピードで軍拡を進めており、台湾統一に向けた軍事侵攻に踏み切る可能性もある。これは当然尖閣諸島の有事にもつながるだろう。さらに米中の対立が激化し、日本にある米軍基地への攻撃が行われたとしたら、日本も必ず戦闘に巻き込まれることになる。

また、主に中国とロシアによる日本への領空侵犯、領海侵犯は、以前から年に数百回のペースで続いており、北朝鮮は頻繁にミサイルを発射している。隣国にロシア、北朝鮮、中国が存在する日本は、地政学的に非常に危険な地域であることは間違いない。

最近、中国人がアメリカへの脱出を試みる報道を見た。中国から直接トルコへ渡り、そこから中南米諸国を回り、徒歩でメキシコからアメリカに入るというルートをたどっていた。ほとんど世界一周するような長く危険な旅である。相当な資金もかかり、生命の危険もある。それでも自由と民主主義を求めて中国を脱出する人が後を絶たないらしい。紛争こそ起きていないが、アジアの本当の平和はまだまだ遠いように思える。

一九八九年から一九九一年にかけて、私はアメリカのインディアナ州に住んでいたが、住居には地下にシェルターが設けられており、戦争や竜巻などの自然災害に備えていたのを思い出す。一九四一年に東京で生まれた私がほんの幼い頃に経験したような「防空壕付きの家屋」が、アメリカには数多く存在したのだ。現在の平和ボケの日本では思いもよらぬことだが、こんなリスク対応が必要な状況にならないことを切に願っている。

私はかつて株式会社光栄に勤務し、グループ会社の経営者を務めたこともあるが、その時代の友人が、中国と台湾双方の子会社に今もいて、お互いに書道の作品を交換するなど親しい関係が続いている。こんな私的なつながりが政治的な力になるわけではないが、少なくとも友人関係を維持し、理解し合うことはできる。こうした草の根外交も決して無力ではないと信じて、平和を求める声を上げ続けていきたいと思う。

最近になって、日本の経済団体も重い腰を上げたようだ。経団連は、「ウクライナ経済復興特別部会」を立ち上げ、日本とウクライナ両政府と協力し、主にインフラの復旧に協力するという。日本国憲法の制約があり、できることは限られるが、西側自由主義諸国の一員として、歩調を合わせて最大限の支援を期待したい。

日本は平和へのイニシアチブを取るべき

私が望むのは、もう一度、日本国憲法の前文の精神に立ち返り、このように官民・草の根が一体となって、国同士の諸問題を平和的に解決する外交努力をしていくことである。

二〇二三年にG7の議長国を務め、世界の国々に広島の被爆体験を認知させた今こそ、日本は平和へのイニシアチブを発揮するチャンスではないだろうか。日本国憲法の上諭（昭和天皇の詔勅）と前文とを、ここで掲げておきたい。

（上諭）

朕は、日本国民の総意に基いて、新日本建設の礎が、定まるに至ったことを、深くよろこび、枢密顧問の諮詢及び帝国憲法第七十三条による帝国議会の議決を経た帝国憲法の改正を裁可し、ここにこれを公布せしめる。

御名御璽

（前文）

日本国民は、正当に選挙された国会における代表者を通じて行動し、われらとわれらの子孫のために、諸国民との協和による成果と、わが国全土にわたって自由のもたらす恵沢を確保し、政府の行為によって再び戦争の惨禍が起ることのないようにすることを決意し、ここに主権が国民に存することを宣言し、この憲法を確定する。そもそも国政は、国民の厳粛な信託によるものであって、その権威は国民に由来し、その権力は国民の代表者がこれを行使し、その福利は国民がこれを享受する。これは人類普遍の原理であり、この憲法は、かかる原理に基くものである。われらは、これに反する一切の憲法、法令及び詔勅を排除する。

日本国民は、恒久の平和を念願し、人間相互の関係を支配する崇高な理想を深く自覚するのであって、平和を愛する諸国民の公正と信義に信頼して、我らの安全と生存を保持しようと決意した。われらは、平和を維持し、専制と隷従、圧迫と偏狭を地上から永遠に除去しようと努めている国際社会において、名誉ある地位を占めたいと思う。われらは、全世界の国民が、ひとしく恐怖と欠乏から免かれ、平和のうちに生存する権利を有することを確認する。

われらは、いずれの国家も、自国のことのみに専念して他国を無視してはならないのであって、政治道徳の法則は、普遍的なものであり、この法則に従うことは、自国の主権を維持し、他国と対等関係に立とうとする各国の責務であると信ずる。

日本国民は、国家の名誉にかけ、全力をあげてこの崇高な理想と目的を達成することを誓う。

この前文の主語は、天皇陛下でも総理大臣でもなく、私たち日本国民一人ひとりである。軍事的圧力を強める日本の周辺の国々が「平和を愛する諸国民」であるかどうかは別にして、少なくともわれわれ日本国民は、この憲法の精神を自覚し、これに則った行動をしていくことで、世界の平和を希求していくべきではないだろうか。

ロシアのウクライナ侵攻を見ても、世界の現実は非常に厳しいものがある。それでも、どちらが勝とうとも悲惨な結果しかもたらさない戦争は絶対に回避すべきであるし、本当は誰もが平和を願っているはずである。

今の日本でこの憲法の精神に基づいて行動する人がどれだけいるのかはわからない。それでも私はあくまでもこの大切さを訴えたいし、また私自身もかくありたいと思っている。

第６のリスク　地球温暖化による海面の上昇

海面上昇の状況と原因

海面の上昇は、日本だけでなく全世界が直面している深刻な問題だといえる。

「ＩＰＣＣ第６次評価報告書第１作業部会報告書（２０２１）」によると、世界の海面上昇は、概ね次のような状況だといわれている。

- 一九〇一年から二〇一八年の間に、世界の海面は平均で二〇センチ上昇している。
- これまでの上り幅から考えて、二一〇〇年の海面水位は、一九九五年から二〇一四年の平均値に対して、少なくとも三二センチ、最大で約一メートル上昇している可能性がある。
- 海面の上昇は二一〇〇年以降も続く。

海面が上昇する原因には、主に次の二つがあると考えられている。

①地球温暖化による海水の熱膨張

気体も液体も固体も温められると体積が増える。これを「熱膨張」と呼ぶ。気候変動によって気温が上昇し、海水も温められるため、体積が増えて海面水位が上がっていく。海面上昇の要因の約五〇パーセントを占めている。

②氷河、南極・グリーンランドの氷床の融解

気温の上昇によって、山岳部の氷河や、南極・グリーンランドの氷床（降り積もった雪が固まった分厚い氷の層）が融けて海に流れ込み、海水の量が増えて海面が上昇する。海面上昇の要因のうち、氷河の融解が約二二パーセント、氷床の融解が約二〇パーセントを占めている。

気温上昇、いわゆる地球温暖化の原因には諸説ある。一般的には人間の諸活動によって生じた二酸化炭素等の「温室効果ガス」が、地表から放射された赤外線の一部を吸収し、温室効果をもたらすといわれている。

ただし、大気中の二酸化炭素の割合はわずか〇・〇四パーセントに過ぎず、さらにその

うち人間の活動によるものは五パーセント程度とされる。つまり人間が増加させた二酸化炭素は大気中の〇・〇〇二パーセントであり、温室効果ガスは他にもあるとはいえ、それが地球に気候変動をもたらすほどの量なのかどうか、疑問を呈する専門家もいる。

また、長い地球の歴史においては、海面の上昇と低下は何度も繰り返しているとのことで、例えば二百六十万年前以降にも温暖化の時期があり、そのときは海面が数十メートル上昇したと推定されている。私は専門家ではないので何らかの結論を述べることはできないが、今後さらに研究が進めば、気候変動の原因も明らかになっていくのかもしれない。

海面上昇の影響

原因究明はさておき、世界の海面が上昇していること自体はまぎれもない事実だ。二十四世紀を迎える頃には、海面が最悪五メートル強、上昇するとの予測データもある（図表6－1）。

仮に海面が一メートル上昇した場合、日本全国の砂浜の九割以上が失われると予測されている。四〇センチの上昇でも干潟が消滅し、生態系に大きな影響が出る。もし東京で何も対策しなかった場合、江東区、墨田区、江戸川区、葛飾区のほとんどの地域に影響が出るといわれている。大阪では北西部から堺市にかけての海岸線は水没してしまうとのこと

［図表 6-1］世界平均海面上昇予測

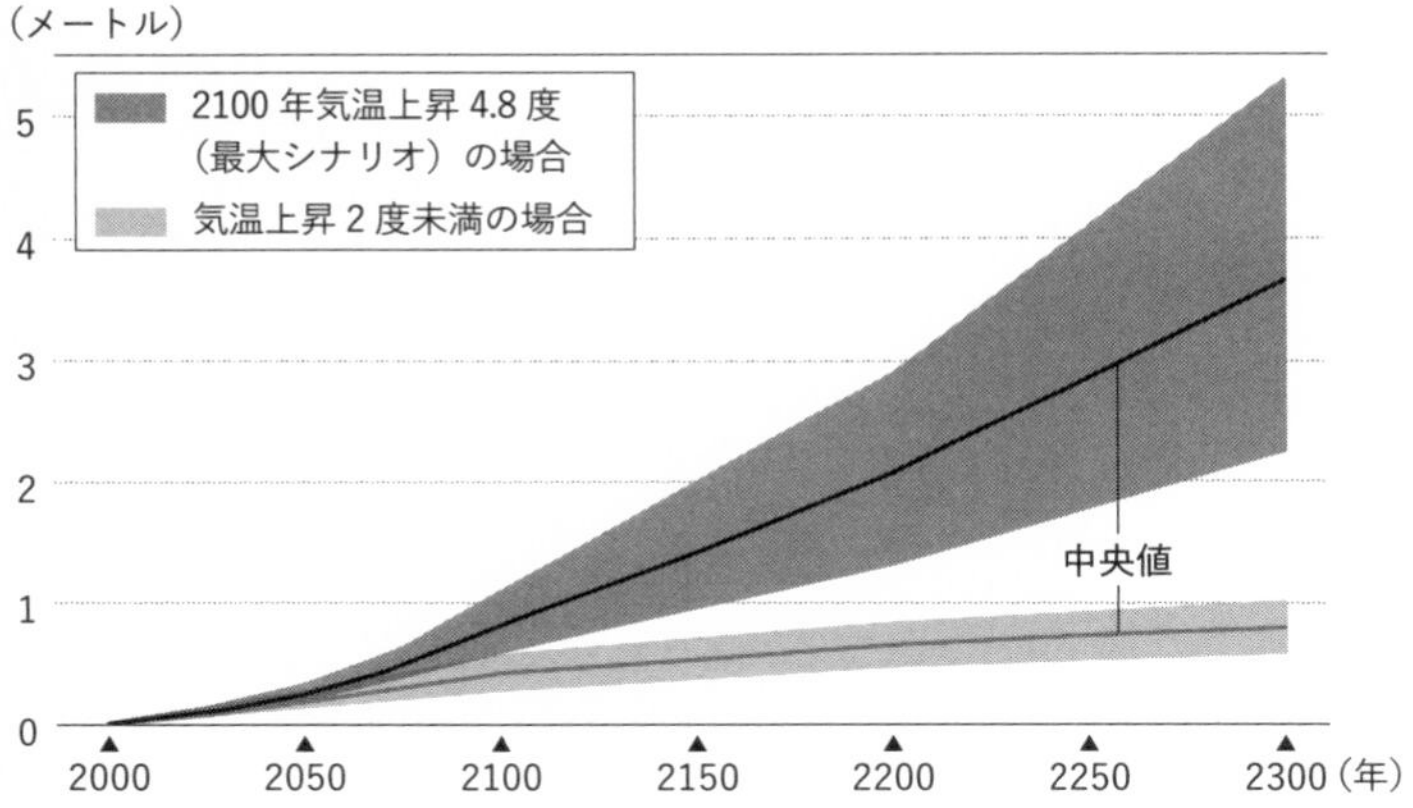

出典　IPCC報告書

だ。

気象庁の発表によれば、二〇〇六年以降、日本の沿岸の水位は一年間に三・六センチずつ上昇しているとのこと。上昇のペースは、一九九〇年以前に比べて約二・五倍も上がっており、今後はさらに速まる可能性もある。将来の海面上昇に備えて、堤防を高くするなど有効な対策が取られることになるだろう。

二〇二三年の時点で、海抜が低いツバル、フィジー諸島共和国、マーシャル諸島共和国といったオセアニアの国々に、高潮による被害が出ており、人々の生活に影響を及ぼしている。特にツバルでは、政府が「環境難民」であることを国際社会に訴えており、すでにニュージーランドへの移民を順次進めている。

その他、インドネシアでは首都ジャカルタの水没が予想されるため、首都移転計画が進められている。またイタリアの「水の都」ヴェネチアでは水門が建設され、高潮から街を守る対策が取られている。

最近の韓国の国際研究グループによれば、二〇三〇年代の夏に北極の氷はすべて融解するというシミュレーションもあるとのこと。この先日本をはじめ世界各国にどのような影響が出るのか、また人間の活動がどのくらい気候に影響を与えているのか、どうすれば影響を抑えることができるのかなど、研究の余地はまだまだあると思われる。将来世代の生活に大きく影響する海面上昇の問題についても、決して手遅れにならないように、国家を上げて取り組んでいっていただきたいと思う。

第7のリスク　家族のあり方の変化

減り続ける家族の人数

家族の人数が減り続けている。一世帯あたりの人数は、一九八五年時点で「三・一四人」だったが、二〇〇五年には「二・五五人」に減ってしまった。一世帯の人数が平均で〇・六人減ったことになる。「三世代世帯」の割合は、近年では一九八〇年の一二・二パーセントがピークで、二〇〇五年には六・一パーセントまで減少している。高度成長期の大都市への人口集中で増加したと考えられている「核家族」は、一九八〇年に六〇・三パーセントだったのが、二〇〇五年にはやや減って五七・九パーセントという状況だ。

この間著しく増えたのは「単身世帯」である。一九七五年には一九・五パーセントだったが、二〇〇五年には二九・五パーセントまで上昇した。これは、前に述べた生涯未婚率が伸びていることや、晩婚化傾向に加えて、独居老人の増加によるものである。おそらく高度成長期からバブル経済期にかけて核家族を形成していた世代の夫婦が高齢となり、子供たちが独立して家を出て、さらに夫婦のどちらかが亡くなることによって、独居老人となったのであろう。

超高齢社会である日本では、独居老人は今後ますます増えていくことがわかっている。六十五歳以上の高齢単身世帯は、一九八〇年時点で男性四・三パーセント、女性一一・二パーセントだったが、二〇一五年には男性一三・三パーセント、女性二一・一パーセントと大幅に伸びている。独居老人の人数は、二〇一五年には六二五万人だったが、二〇四〇年には八九六万人に増加するという予測がある。日本全体の人口が減っていくことを考えれば、一割近い世帯が高齢者の一人暮らしになる時代が訪れるわけである。

高度成長期から現代にかけて、日本の家族の様相は大きく変化したといえる。

家族の人数が減って何が変わったのか

まず変わったのは老後の暮らし方であろう。子供たちが巣立って夫婦二人の生活になったばかりの頃は、ほとんどの人がまだまだ体も元気なので、いろいろと楽しんで過ごすことができる。しかしながら、いわゆる「健康寿命」が尽きて、何らかの身体的支障が起きると、その程度によってだんだん生活に困難が生じ始める。

やがて高齢夫婦のどちらかが自分のことを自分一人でできなくなって、要介護状態になると、「老老介護」の時期に突入する。老老介護とは夫婦だけのことをいっているのではなく、親子や兄弟などのケースも含まれるが、最も比率が高いのは要介護者とその配偶者の組み合わせである。さらに深刻なのは、要介護者も介護者もどちらも認知症を患ってしまう「認認介護」である。こうなると日々の生活全般に支障が生じることになる。最悪の場合、介護疲れから命を絶つようなケースも実際に起きている。どちらかが亡くなって一人暮らしになった老人の孤独死も後を絶たず、今後、平均寿命が延びれば延びるほど、こうした問題はさらに大きくなっていくだろう。

高度経済成長による核家族化の成れの果てが、介護疲れや孤独死ではあまりにもやるせない。高齢者全員が老人ホームに入れるわけではないことを考えれば、地域社会でお互いに見守る昔ながらのコミュニティを再構築するなど、社会全体で事態の改善に向けた取り組みが必要なのではないだろうか。

三世代世帯が減っているうえ、「失われた三十年」によって生活が苦しくなり、共働き夫婦が増加の一途を辿っている（図表7－1）。また兄弟の人数も少ないことから、近年は「家で一人で過ごす子供」が増えている。長時間一人ぼっちで置いておかれた子供は、かえってたくましく育つのか、あるいは親子関係が希薄になってしまうのか、一概にはいえないと思うが、家族のあり方、子供の成長のプロセスが、大きく変わりつつあるのは間

［図表 7-1］専業主婦世帯と共働き世帯の変化（1980 〜 2022）

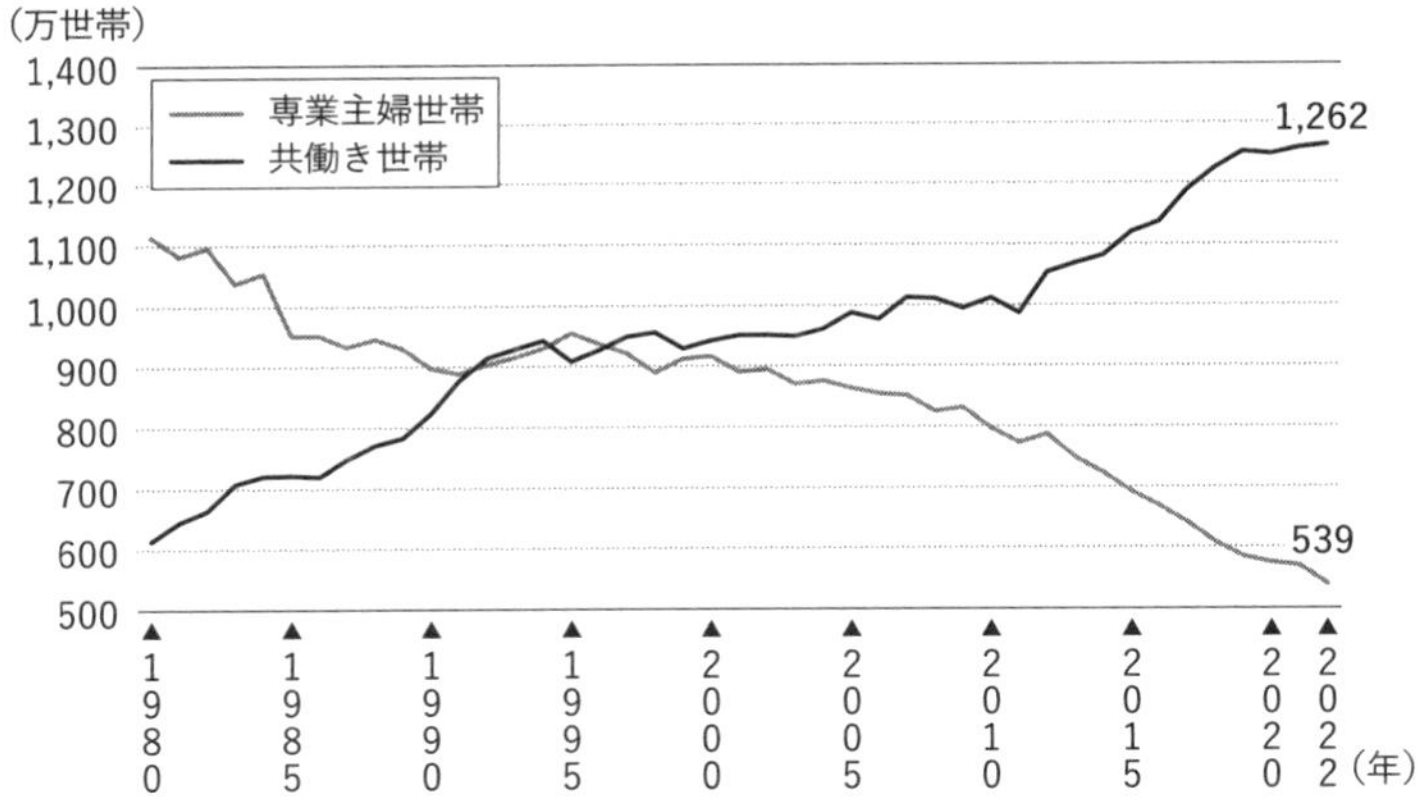

出典　労働政策研究・研修機構

違いない。二〇二三年七月二十八日付の「日本経済新聞」によれば、日本独自の家族制度を支えてきたともいえる専業主婦世帯が、全体の三割を切ったとのことである。日本の家族関係は、新たなステージに入ったということなのであろう。

日本人は変わっていくのか

家族の人数が減り、一緒に過ごす時間も減るということは、昔のように両親や祖父母から日本の文化、精神、気風などが伝えられる機会が減っているという意味でもある。戦中派の私などは、祖父母や両親から厳しく躾けられた。例えば「お米はお百姓さんが一年かけて一生懸命につくったものだから、残してはいけません。お米を残したら目がつぶれますよ」といった日本の古い風習や伝統などを叩き込まれたものだった。こうした日本特有の精神文化は、今後どのようにして引き継がれていくのか、あるいは消え去ってしまうのだろうか。

もちろん、前にも述べたように、大谷翔平選手や藤井聡太棋士のような、能力も人間力も非常に優れた若者が育っていることを思えば、私などが心配する必要はないのかもしれない。しかしその一方で、ネグレクトや虐待など胸を痛めるニュースも多く、インターネットでの匿名の誹謗中傷のひどさなどを耳にすると、日本人の本来の美風が失われつつあるようにも感じる。家庭や学校での教育がおざなりにならないよう、国を挙げてしっかり取り組んでもらいたいものである。

家族の話題から少し外れるが、日本の産業が発展し、経済的に躍進していくためには、もっともっと「とんがった人材」を育てていくことも必要だろう。学校教育でいえば、「飛び級」を導入したり、留学生をこれまで以上に受け入れて刺激を与えたりするなど、子供たちが小さな枠に収まらず、のびのびと実力・個性を伸ばしていけるようにしてほしい。

少し残念な情報がある。「2023年版世界大学ランキング」のベスト一〇〇にランクインした日本の大学は、三九位の東京大学と六八位の京都大学のみである（図表7－2）。

［図表 7-2］2023 世界大学ランキング

順位	大学名	国
1	オックスフォード大学	イギリス
2	ハーバード大学	アメリカ
3	ケンブリッジ大学	イギリス
3	スタンフォード大学	アメリカ
5	マサチューセッツ工科大学	アメリカ
6	カリフォルニア工科大学	アメリカ
7	プリンストン大学	アメリカ
8	カリフォルニア大学バークレー校	アメリカ
9	イェール大学	アメリカ
10	インペリアル・カレッジ・ロンドン	イギリス
11	コロンビア大学	アメリカ
11	ETHチューリッヒ	スイス
13	シカゴ大学	アメリカ
14	ペンシルベニア大学	アメリカ
15	ジョンズ・ホプキンス大学	アメリカ
16	清華大学	中国
17	北京大学	中国
18	トロント大学	カナダ
19	シンガポール国立大学	シンガポール
20	コーネル大学	アメリカ
39	東京大学	日本
68	京都大学	日本

出典　「Times Higher Education 2023」

日本人の優秀性、ポテンシャルを考えれば、教育制度を有効かつ大胆に改革していくことで、もっともっと多くの大学が高い順位を獲得できるようになるはずである。日本企業の国際競争力を高めていくためにも、諸外国の取り組みもしっかりと研究しつつ、教育・研究のレベルを高めて、「とんがった人材」を大量に輩出していくことが不可欠であろう。

今後は「人口の減少への対策」「外国人のさらなる受け入れ拡大」「家族のあり方の変化による諸問題の検討」「生産性の向上」「教育改革」などに関して、国家としてこれまで以上にしっかりと取り組んでもらいたい。と同時に、民間の活動の「足かせ」になっているような法律や規制を撤廃し、民間の活力を高めていくことも重要だ。税金の無駄遣いを止めて国民負担率を下げながら、プライマリーバランスをとっていくことも、待ったなしの状況だ。

ウクライナ戦争や中国の台湾侵攻の動向など、心配な要素も多々あるが、ぜひ多くの外国人を受け入れ、変化を恐れず、しかし日本の美風も大切にしながら、よりよい国をつくってほしいと願うばかりである。

終章　元気な日本を取り戻すために——まとめにかえて

焼け野原から世界第二位の経済大国へ

以上、「第1のリスク」から「第7のリスク」までお読みいただき、みなさんはどのように感じられたであろうか。リスクの評価、解釈、受け止め方は人それぞれかもしれないが、私はこれらのリスクを何とか回避して、誰もが幸せに生活できる日本にしていきたいと切に願っている。

なぜなら、私自身が「元気いっぱいだったかつての日本」で思う存分働き、海外にも飛び出してやりがいのある仕事をし、充実した日々を送ることができたからである。「失われた三十年」ですっかり勢いを失ってしまった今の日本は、たとえ日経平均株価が回復したとしても、本来のあるべき姿からは程遠いと感じる。

日本の実力は決してこんなものではない！　私はそう確信している。

日本は戦後、空襲によって破壊しつくされた焼け野原の中から、素晴らしい復興を遂げた。終戦から高度経済成長期、バブル崩壊までのおよそ四十五年間、日本人は本当によく頑張った。特に戦後間もない頃は、誰もが貧しかったため、皆が家族を思いやり、隣近所を気遣い、食べていくため、今日を無事に過ごすため、そして祖国を発展に導くために懸命に働いてきた。そこには温かい人情があった。未来の希望もあった。

そうして皆で頑張っているうちに、やがて日本はアメリカに次ぐ世界第二位の経済大国となった。『ジャパン・アズ・ナンバーワン』という本がアメリカ人社会学者のエズラ・ヴォーゲルによって書かれたほど、世界もあっと驚く繁栄を築き上げたのである。

なぜバブルが起きたのか

日本でバブル経済が起きた原因は、一般的には、アメリカのドル高の是正が話し合われた一九八五年の「プラザ合意」が発端であるとされる。これにより円高が急激に進んで日本の輸出産業が打撃を受け、日銀が公定歩合を下げたことによってお金が借りやすくなり、不動産や株式への投資（投機）が過熱してバブルが膨らんでいったという流れだ。

それはそれとして、本書では、当時金融機関で働いていた人間として、また私自身の反省も込めて、私見を述べておきたいと思う。

話は戦後の復興期にさかのぼる。焼け野原になった日本では、復興のための資金が必要だった。そこで「興長銀（日本興業銀行・日本長期信用銀行・日本債券信用銀行の三行をまとめた呼び方）」などを中心に、債券を発行することによって資金を調達し、企業に対して工場再建用の資金などを融資した。これが戦後復興のキーポイントであり、その後の日本の奇跡の復活につながったといえよう。

これが一巡し、戦後の復興がひと段落ついた頃、今度は金融の国際化が始まった。より利率の低い「外債（＝外国債・政府や企業が外国で募集する債券）」の発行による資金調達方法が一般化してきたのである。多くの企業が外債を発行して借入先を振り替えていったことにより、興長銀などにとっては融資先が減り、長期貸付金が約定弁済によって減っていく一方となったのだ。いうまでもなく、貸付金が減るということは、金融機関にとっては利息による収入が減るということである。

これに困った長期金融機関は、新規の融資先を獲得する方法として、「不動産やゴルフ場などの買収」という新たな需要をつくり出した。「地価は上がり続ける」という「土地神話」を背景に、その購入資金をどんどん貸し出して、物件を売り込んでいったのである。

これが前述の「プラザ合意」の時期と重なり、エスカレートすることになる。国内の物件はもちろん、バブル景気の勢いに乗り、ニューヨークのロックフェラーセンターやカリフォルニアのゴルフ場に至るまで、日本の企業が次々と買収していった。

企業の不動産買収の主な目的は、価格が上がったあとで売却し、利ざやを得ることだった。要は「投機」だ。当然、それが可能となるのは「需要があること」「購入者がいること」である。しかし、金融機関がお金を貸すために創り上げた需要はある意味虚像であり、やがてバブルとなりはじけてしまった。地価の下落が始まり、購入価格を割り込むようになったのだ。こうなると、お金を借りて投機に走った企業は銀行に返済できない状況に陥り、銀行は「回収できない不良債権」を多く抱えることとなる。これがいわゆる「バブルの崩壊」である。

二二頁の一九八九年の世界時価総額ランキングをもう一度ご覧いただきたい。日本の金融機関が複数ランクインしているのが確認できるが、これはまさに、ここまで述べてきたバブルが膨らみ切ってはじけた、一九九一年の少し手前の状態だったといえる。この時期、世界中の不動産を買いあさった日本企業は、豊かになったことで少々調子に乗っていたのかもしれない。日本の好景気が実態をともなわない「バブル」だと理解していた人からは、身の丈を超えた振る舞いにも見えて、顰蹙《ひんしゅく》を買ったこともあったと思われる。もちろん、あれだけ日本の企業が世界の経済を席巻していたのであるから、調子に乗るのも人情として無理からぬことともいえるのだが。

バブルの崩壊

バブル崩壊後の処理にあたって、金融機関には公的資金、つまり国民の税金が投入された。そのため多くの銀行はほとんどの保有財産を処分し、合併、整理、統合を行うことになった。バブルを引き起こした当然の報いといえよう。そしてバブルの処理をしたことによって、金融機関のバランスシートが極端に悪化してしまうのである。

すると今度はバランスシートを改善することが目的となってしまい、貸し渋りが始まり、他の産業全般に影響を与えることになった。銀行はもちろん一般の企業も、ただただバランスシートの改善に注力し、海外の多くの業務を引き揚げ、国内に引きこもりがちになっていく。事業の発展や人材のための投資を十分に行わず、従業員への利益の配分も行わず、初任給はほとんど据え置きで、賃上げもなきに等しく、二五頁で述べたように多くの企業が「内部留保」を増やしていったのである。

確実な人口減少の時代へ

バブルの「ツケ」は、「失われた三十年」という強烈なしっぺ返しとなった。平成期以降、サラリーマンの給料はほとんど上がらず、そのうえ物価は下落する一方で、出口の見えないデフレが長年続き、近年幾分回復したとはいえ、二〇二三年現在も本来の日本経済の力強さを取り戻してはいない。

外国人観光客が大挙して訪れるのは、日本が豊かな伝統文化を持つ素晴らしい国であることはもちろんだが、それだけでなく、「物価が安い国」だからなのだ。値段が安いにもかかわらず、「おもてなしの精神」によってサービスがよく、道徳心も高く、治安もいいからこそ観光客が訪れる。

「爆買い」などと囃《はや》し立てられたのは、良くも悪くも、海外のお金持ちに日本の良質で安価な商品が買い占められたと見るべきだろう。当然、物の値段が下がったままということは、日本人の給料も下がったままとイコールである。

こうして結婚・出産ができない貧しい若者を大量につくり、生涯未婚率が上がり続け、たとえ結婚できても出産を控える夫婦が増え、この「人口減少時代」を招いてしまった。女性の働きにくさ、出産後の復帰のしにくさ、ジェンダーギャップなども、すべてがマイナス要因となっている。

「第1のリスク」でも長々と論じたように、もはや日本人が今後増えることは、たいへん残念なことにほぼ絶望的となったのである。これから先、恐ろしい勢いで日本の人口は減っていく。何度もいうように、政府の予想はあまりにも楽観的過ぎるので、もっと速いペースで人口は減少していくはずだ。

人口が減り続けるということは、これもすでに述べた通り、「国力」も低下し続けることになる。付け焼刃の「バラマキ政策」などでは取り返すことが不可能なのである。

外国人を迎え入れ、強い日本をつくり直す

ここでもう一度繰り返すが、日本の人口減少をある程度食い止め、国力の回復を目指すためには、大量の外国人を受け入れる以外に方法はないと私個人は考えている。これから何十年かかけて、できれば四〇〇〇万人の外国人に日本に定住してもらいたい。最終的には日本人五〇パーセント、外国人五〇パーセントの比率までもっていくのが理想だ。

もちろんメリットもデメリットもあるため、賛否両論あるとは思うが、このまま人口の激減によって日本が消滅する道を選ぶくらいなら、多くの外国人に移民してもらい、よき日本人となってもらうよう精一杯努力し、さらには男女とも日本人との結婚も積極的に進めて、新しい日本をつくっていってもらいたいのだ。

そのためにはまず「出入国管理及び難民認定法」、いわゆる「入管法」の改正が必要だ。入管法とは、日本への入国、および日本からの出国の管理、さらに在留資格、不法滞在、難民認定の手続きなどに関する法律である。

日本政府も当然、我が国の人口の減少と労働力の不足は問題視しており、これを解消するための法改正がすでに二〇一九年に行われている。具体的には、「特定技能」という新しい在留資格が創設された。これにより、人手不足が深刻な特定産業分野で、一定の専門

性や技能を持った外国人を受け入れられるようになったのだ。また、最長五年の在留期間だった「技能実習」から「特定技能」へと移行すれば、母国に帰らずに引き続き日本で働ける可能性が広がる。これは大きな前進である。

このような法改正は今後も積極的に進めていただき、受け入れ態勢の拡充も併せて行うことで、在留外国人、特に何らかの技能を有した外国人の日本滞在を促していっていただきたいものだ。

その一方で、難民認定に関しては、すでに述べたように、日本は認定率があまりにも低いので、必要な改正は行っていくべきだろう。事情も時代も異なるが、かつて二万人ともいわれるユダヤ人難民を救った樋口季一郎陸軍中将や、「命のビザ」を発行してやはり多くのユダヤ人難民を救った杉原千畝外交官のように、日本人はもともと人助けの精神を持った民族である。難民の中には何らかの能力を有し、日本で働きたい人材もいるはずであり、日本のルールを守ってしっかりやってくれる人物であれば、柔軟に受け入れていくことも検討すべきだ。

「人生百年時代」を高齢者はどう生きるべきか

最後に高齢者の問題について、高齢者である私が考えていることをまとめておきたい。

最近は「人生百年時代」という言葉が当たり前に使われるようになった。平均寿命が延び、昔よりも若々しく元気な老人が多くなったのも事実だろう。厚生労働省では「人生100年時代構想会議」が継続して開かれ、議論が続けられている。海外の研究では、二〇〇七年に日本で生まれた子供の半数が、百七歳よりも長く生きると推計されているとのことで、高齢者がいきいきと暮らせるかどうかが、今後ますます重要になっていくことになる。

まず、生きていくためには「お金」が必要だ。老後の生活資金に関して、生活のレベルにもよるが、年金のみで暮らすのはまず無理だろう。「失われた三十年」で多くの人の収入が伸びなかったことを考えると、自助努力で十分な貯蓄ができている人は、いったいどれくらいいるのであろうか。あるいは株式の配当や家賃収入など、年金以外の収入源を確保し、生活費を補完できる人はどれくらいいるのであろうか。

その年金の制度を維持していくこと自体、今後はさらに難しくなっていくだろう。受給開始年齢を遅らせると、その影響で生活保護費が膨らむという説もある。出し渋れば、当然高齢者の生活レベルは悪化する。平均寿命が延びれば延びるほど、お金の問題は深刻度を増していくと考えられる。

その意味でも、企業はもっと給料を上げて、政府は減税など国民負担率を下げていくことが不可欠だ。国民の「可処分所得」が増えれば、消費が増え、企業の収益が上がり、給料もさらに上がり、日本経済はおおいに活性化するはずである。老後の貯えもつくりやすくなる。経済が伸びれば当然税収も伸びるので、減税した分はおそらく簡単に取り戻せるだろう。むしろ税収は増えるかもしれない。政治家の方々には、ぜひそうしたマクロな視点を持って日本を元気にしていってもらいたい。

「生きがい」と社会への還元

高齢者がいきいきと前向きに生活するためには、何かしら「生きがい」や「生きる目的」を持つことも重要だ。これは個人の姿勢の問題でもあるが、例えば「社会性のある活動」に取り組むことも大切だ。一生涯楽しめる「趣味」を持つのもいいが、趣味を楽しむにもお金はかかるので、何よりも経済の活性化を優先しなければならない。

我々高齢者は自覚しなければならないが、こうして日々暮らしていくことができるのは、社会からの「思いやり」や「善意」に支えられている部分が多数ある。もちろん、若い頃に必死に働き、社会に貢献してきたのだから、その積み上げた部分の一部を、今還元されていると考えることも間違いではない。しかし私は、どんな年齢になっても、社会から甘い汁を吸って生きるようなことだけはしたくないのである。五四頁で紹介した、サミュエル・スマイルズの『自助論』にもあるように、生きている限りは、矜持と誇りを持って社会に関わっていくべきではないだろうか。

とはいっても、元気な人はまだよい。認知症を患ったり、寝たきりになったりすると、生きがいも自然になくなり、やがては食事も排泄も自力ではできなくなって、ベッドに横たわり、他律的に、ただ死を待つ時間を過ごすことになる。想像もしたくないが、それはなんとつらい日々であろうか。

最近では「胃瘻《いろう》」などの延命治療をする人は減っているようだ。私自身、延命治療を望むかどうかを尋ねられるたびに、それを断る署名をしている。動くことも食べることも何もできなくなり、人としての尊厳を失ってまで生きたいとは思わないからだ。日本では法的に認められていないが「安楽死」「尊厳死」についても、今後もっと真剣に議論を深めていく必要がある。

もちろん家族にとっては、少しでも長く生きていてほしいという思いもあるだろう。しかし、回復の可能性がないにもかかわらず、ただ命を繋ぎとめるために、かえって本人に長く苦しみを味わわせることに、いったい何の意味があるのかと思われてならない。

私はすでに日本人男性の平均寿命を全うし、またこの本も書き終えたので、ある意味サバサバした気持ちでいる。これは私個人の感情であって、他人もそうあるべきと強要するものではない。ただ、繰り返しになるが、高齢者として生きがいは、意識のあるうちは、しっかり持ち続けていきたいと思う。

そして次の時代の「新日本人」たちが世界でリーダーシップを発揮し、本書で取り上げた「7つのリスク」を一つひとつ解決していってくれることを心から願うばかりだ。

おわりに

私は、今年で八十二歳になった。透析治療を長年受け続けているが、医療技術の進歩のおかげで、一般の人とほぼ変わらない生活を送っている。食事もお酒もおいしくいただくことができるし、外出も支障はない。何といっても、本を読んだり、書いたり、議論したりできるのは、本当にありがたいことだ。

しかし、加齢とともに、さまざまな困難が伴ってくるのは避けようもない。昨年（二〇二二年）、妻の認知症が進行し、私の素人介護では対応しきれなくなった。さらに家事一切を私一人で負担することも限界に達し、認知症専門医である娘の助言もあって、老人ホームへの入居を決断した。

住んでみると、さすがにプロの看護師・介護士のそろったサービスは万全で、月に二回の定期健診もあり、医療の面でも満足している。夫婦二人入居型で、家具を持ち込んだり、外出したりできるなど、生活の自由度は高い。そのため入居後も相変わらず東京での会合や飲み会などに出席している。横浜のメインストリートに面し、最寄りの駅から徒歩一分という交通至便の地であり、観光客も多く、いわば期限付き・医療介護付きのマンションのようなものである。

私たち夫婦のライフスタイルに非常にマッチしており、これから老後の生活を過ごすうえで、よい選択だったと思っている。友人からもよかったといってもらえて、ここを「終《つい》の棲家《すみか》」だと決めた。

今回老人ホームの契約をした際、いろいろな経験をした。

一つめは、入居する私が押したのは「認印」で、身元引受人である娘は印鑑証明をつけて「実印」を押した。つまり契約の主体は娘であって、私ではなかったのだ。それがわかった瞬間、私は自分が「経済的人格」を喪失したような感慨に襲われた。要するに、私の死後の交渉をする相手である娘との契約なのである。

二つめは、私の場合、「十年間の施設利用権」と前述の「介護・医療サービスを受ける権利」とを購入するのであって、決して住居を所有するわけではない。自分の家を持つことと老人ホームに入ることとの大きな違いを実感した。

三つめは「引っ越しの作業」である。これは私の年齢では肉体的にも精神的にもほぼ限界の作業だった。それまで住んでいた家の売却の交渉および契約と同時進行で引っ越しの荷造りを行うのは、相当な体力を要する。

さらに転出・転入に関する諸々の手続き・届け出作業の膨大さにもほとほと疲れ果てた。公共のサービス、電話、電気、ガス、水道、郵便、インターネット、通信販売、個人的な会合、金融機関など、いちいち数えなかったが、おそらく四〇～五〇件以上、転出・転入の届け出を行った。

マイナンバーカードは取得しているが、こうした手続きについてはほとんど何も連携しておらず、ＩＴの利便性を感じることはなかった。市役所・区役所でも一つの窓口で手続きを済ませることができない。

五八頁でも触れたが、日本のデジタル化はまだまだ立ち後れているのではないだろうか。そもそもこうした縦割り行政が民間にも及んでおり、日本全体の効率を著しく削いでいるといっても過言ではない。とにかく作業の量と煩雑さは、老人が対応できる限界を超えていると感じた。

引っ越すと、当然環境が大きく変わる。老人ホーム自体は非常に快適だが、この変化に認知症の妻はうまく対応できず、また新たな問題が発生した。

人間の平均寿命はどんどん延びているが、人間の肉体の部品の耐用年数が同じように延びるわけではない。そのためどうしても限界点を越える部品が増えてくる。終章でも高齢者の問題に触れたが、長い老後を生きていくのはやはりたいへんだと感じる。「老後」そのものができるだけリスクにならないことを念じるばかりである。

それでも自立して老後を迎え、旧友たちとの飲み会に出席できるだけでも、私自身はとても幸せだと感じる。猛烈社員だった会社の先輩たちの中には、若くして亡くなった方も多いので、今こうして平均寿命まで生きられたことに感謝している。

最後になったが、本書を含めて四冊の拙著の制作につきあっていただいたPHPエディターズ・グループの池谷秀一郎編集長、「幸せな一生」を支えてくれた妻の雅子、娘の瑞穂、孫の智瑛に感謝して、筆を擱《お》くことにしたい。また、おつきあいいただいた読者の皆様にも、心からお礼を申し上げる。

令和五年九月

伊藤通宏

〈著者略歴〉

伊藤通宏（いとう　みちひろ）

1941年、東京市（当時）板橋区に生まれる。山形県酒田市の小学校・中学校を経て、山形県立山形東高校に入学。父の転勤に伴い、富山県立富山中部高校に転入し卒業。慶應義塾大学法学部政治学科卒業。

横浜銀行に入行、同行支店長を歴任。米国インディアナ州に出向。帰国後、同行中山支店長を最後に退職。

株式会社光栄に入社し、常務取締役に就任。KOEI Corporation社長、株式会社コーエーネット社長等を歴任後、株式会社光優相談役を最後に退任。

著書に、『若者よ、世界へ飛び出せ！』『今こそ学ぼう 国訓・家訓』『「真の国際化」が日本を救う！』（以上、PHPエディターズ・グループ）がある。

現在、神奈川県横浜市に在住。

日本消滅
未曾有の危機を乗り越えるために

2023年10月15日　第1版第1刷発行

著　者　　伊藤通宏
発　行　　株式会社ＰＨＰエディターズ・グループ
〒135-0061　東京都江東区豊洲5-6-52
☎03-6204-2931
https://www.peg.co.jp/
印　刷
製　本　　シナノ印刷株式会社

ISBN978-4-909417-52-7